부모-아동 상호작용
코딩을 위한 코딩자 훈련 매뉴얼 워크북

THE WORKBOOK: CODER TRAINING MANUAL FOR THE DYADIC PARENT-CHILD INTERACTION CODING SYSTEM, 3RD EDITION

부모-아동 상호작용

코딩을 위한 코딩자 훈련 매뉴얼 워크북

Melanie A. Fernandez, M.S., Rhea M. Chase, M.S., Courtney A. Ingalls, B.A., Sheila M. Eyberg, Ph.D. 지음
두정일 옮김

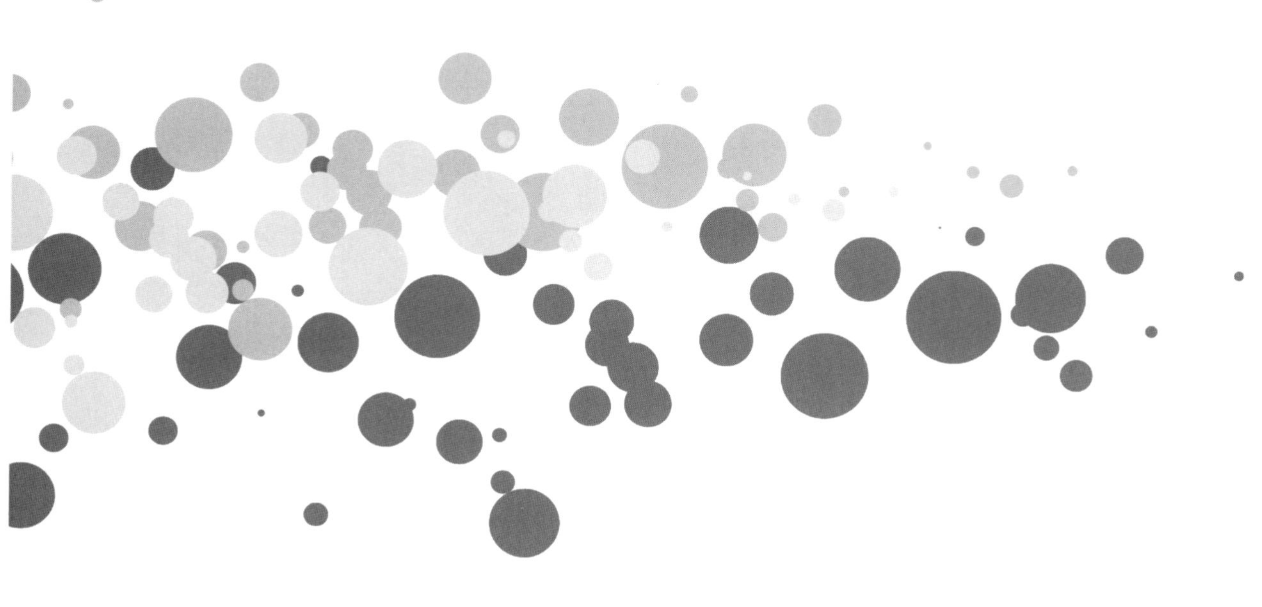

Σ 시그마프레스

부모-아동 상호작용

코딩을 위한 코딩자 훈련 매뉴얼 워크북

발행일 | 2012년 4월 23일 1쇄 발행

저자 | Melanie A. Fernandez, Rhea M. Chase, Courtney A. Ingalls, Sheila M. Eyberg
역자 | 두정일
발행인 | 강학경
발행처 | (주)시그마프레스
편집 | 송현주
교정·교열 | 김은실
등록번호 | 제10-2642호
주소 | 서울특별시 영등포구 양평로 22길 21 선유도코오롱디지털타워 401호
전자우편 | sigma@spress.co.kr
홈페이지 | http://www.sigmapress.co.kr
전화 | (02)323-4845, (02)2062-5184~8
팩스 | (02)323-4197
ISBN | 978-89-5832-717-2
978-89-5832-675-5(세트)

The Workbook: Coder Training Manual for the Dyadic Parent-Child Interaction Coding System, 3rd Edition

*책값은 뒤표지에 있습니다.

역자 서문

역자가 플로리다대학교에서 실시한 부모-아동 상호작용 치료 연수에 참석하여 훈련을 받는 과정에서 이 책의 저자인 Eyberg 교수로부터 이 워크북을 소개받았고, 이 워크북으로 부모-아동 상호작용 코딩 시스템을 사용하는 방법을 배우고 코딩 정확도를 높이는 데 많은 도움을 받았다. 특히 이 워크북은 코딩, 절차, 결정규칙 각각을 체계적인 방식으로 좀 더 용이하게 배울 수 있도록 되어 있고 가능한 한 실시간 코딩하는 것처럼 구성되어 있어서 유용하다.

비효율적인 양육 방식과 아동의 문제행동과 관련이 있는 부모-아동 상호작용 패턴을 파악하고 그와 관련된 연구를 하는 데 있어서 코딩의 정확성은 필수적이다. 그러므로 이 훈련 워크북은 임상이나 연구목적으로 부모-아동 상호작용 코딩 시스템을 사용하는 방법을 익히고 자신의 코딩 정확도를 높이며 코딩자 간의 일치도를 확인하는 데 매우 효과적으로 도움을 줄 것이다.

이 훈련 워크북은 크게 퀴즈 부분과 정답 부분으로 구성되어 있다. 퀴즈 부분에서는 퀴즈를 풀고 제공된 종이에 퀴즈 점수를 기록해야 한다. 퀴즈 점수가 90% 이하이면 코딩 매뉴얼에서 그 부분을 다시 학습해서 두 번째 퀴즈를 풀어야 한다.

워크북 뒷부분에 있는 정답지에는 정답 코드와 함께 왜 그 답이 옳은지를 설명할 부모-아동 상호작용 코딩 매뉴얼 관련 가이드라인이 있다. 예를 들어 정답이 행동묘사(BD)이고, 가이드라인이 BD2로 코딩되면, 부모-아동 상호작용 코딩 매뉴얼에서 BD 카테고리의 두 번째 가이드라인을 말한다.

이 책을 마무리하며 아쉬움이 크지만 미진한 부분은 다음 개정판에서 보완할 것을 약속하며 출판에 도움을 준 많은 분들께 고마움을 전하고 싶다. 먼저 이 책의 출판을 허락해 주신 (주)시그마프레스 강학경 사장님과 편집부 직원들께 진심으로 감사한다. 무엇보다도 이정숙 교수님의 지도와 Eyberg 교수의 협조에 깊은 감사를 드리며 번역에 도움을 준 홍주현 선생님과 교정을 도와준 이소연 선생님께도 감사의 마음을 전한다.

2012년 역자 두정일

차례

서론 1

부모 카테고리 3

문장 이해하기 4
행동묘사(BD)와 일상적인 말(TA) 구분하기 5
질문 구분하기 I 6
질문 구분하기 II 7
복습 퀴즈 I 9
칭찬 이해하기(UP와 LP) 10
칭찬 구분하기 I (UP 대 LP) 12
칭찬 구분하기 II(UP 대 LP) 13
칭찬 구분하기 III(UP 대 LP) 15
칭찬 구분하기 IV(UP 대 LP) 17
구체적이지 않은 칭찬과 일상적인 말 구분하기 18
복습 퀴즈 II 20
행동묘사, 반영, 일상적인 말 구분하기 I 22
행동묘사, 반영, 일상적인 말 구분하기 II 24
행동묘사, 반영, 일상적인 말 구분하기 III 26
복습 퀴즈 III 28
지시 이해하기(IC와 DC) 30
지시 구분하기 I (IC 대 DC) 32
지시 구분하기 II(IC 대 DC) 33
간접지시와 질문 구분하기(IC 대 QU) 34
복습 퀴즈 IV 35
부정적인 말과 직접지시 구분하기(NTA 대 DC) 37

부정적인 말 구분하기 I 38
부정적인 말 구분하기 II 40
복습 퀴즈 V 42
터치 구분하기 45

아동 카테고리 47

지시에 대한 순종 구분하기 I 48
지시에 대한 순종 구분하기 II 50
질문에 대한 응답 구분하기 I 52
질문에 대한 응답 구분하기 II 54
복습 퀴즈 VI 56
질문 이해하기 58
지시 이해하기 59
질문과 지시 구분하기 60
부정적인 말과 지시 구분하기 61
친사회적인 말 구분하기 63
복습 퀴즈 VII 65
터치 구분하기 66
고함과 징징대기 구분하기 67
전사 I 68
전사 II 70

정답 73

부모 카테고리 74
아동 카테고리 90

퀴즈 실시 체크리스트

지시사항 : 이 용지는 각 퀴즈를 성공적으로 완수했는지를 기록하는 데 사용하면 된다. 통과 점수는 각 퀴즈에 대해서 90%이다.

부모 카테고리

____문장 이해하기

____행동묘사와 일상적인 말 구분하기(BD 대 TA)

____질문 구분하기 I

____질문 구분하기 II

____복습 퀴즈 I

____칭찬 이해하기

____칭찬 구분하기 I

____칭찬 구분하기 II

____칭찬 구분하기 III

____칭찬 구분하기 IV

____구체적이지 않은 칭찬과 일상적인 말 구분하기

____복습 퀴즈 II

____행동묘사, 반영, 일상적인 말 구분하기 I

____행동묘사, 반영, 일상적인 말 구분하기 II

____행동묘사, 반영, 일상적인 말 구분하기 III

____복습 퀴즈 III

____지시 이해하기

____지시 구분하기 I (IC 대 DC)

____지시 구분하기 II (IC 대 DC)

____간접지시와 질문 구분하기 (IC 대 QU)

____복습 퀴즈 IV

____부정적인 말과 직접지시 구분하기

____부정적인 말 구분하기 I

____부정적인 말 구분하기 II

____복습 퀴즈 V

____터치 구분하기

아동 카테고리

____지시에 대한 순종 구분하기 I

____지시에 대한 순종 구분하기 II

____질문에 대한 응답 구분하기 I

____질문에 대한 응답 구분하기 II

____복습 퀴즈 VI

____질문 이해하기

____지시 이해하기

____질문과 지시 구분하기

____부정적인 말과 지시 구분하기

____친사회적인 말 구분하기

____복습 퀴즈 VII

____터치 구분하기

____고함과 징징대기 구분하기

____전사 I

____전사 II

서론

이 워크북은 임상이나 연구 목적으로 부모-아동 상호작용 코딩 시스템(DPICS) 제3판을 사용하는 방법을 배우는 데 도움을 주고자 만들어졌다. 또한 프로그램식 학습법 형식으로 쓰여져서 코딩, 절차, 결정규칙 각각을 체계적인 방식으로 좀 더 용이하게 배울 수 있게 했다. 워크북 전체에서, 가능한 한 실시간 코딩하는 것처럼 하기 위해서 최소한의 구두점이 사용되었다. 그리고 DPICS 코딩 시스템에서 표준화된 각 카테고리가 설명되었다. 하지만 선택한 카테고리만 사용하는데 관심이 있다면 그 특정한 카테고리에 초점을 맞출 수 있도록 카테고리별로 워크북을 정리하였다.

워크북은 Johnson과 Bolstad(1973)에서 요약된 모델에 따라서 포괄적인 코딩자-훈련 패키지의 일부로 사용되도록 설계되었다. 이 모델에서, 최초의 관찰자 훈련은 다음과 같은 것을 포함하고 있다. 즉 (a) 코딩 매뉴얼을 읽고 공부하기; (b) 시스템의 각 카테고리와 관련된 퀴즈를 성공적으로 끝마치기; (c) 실제적인 부모-아동 상호작용(이 워크북에 포함된)에 대해 전사(transcript)한 것을 코딩하기; (d) 이전에 훈련된 코딩자에 의해 전사되었고 코딩된 비디오 테이프를 코딩하기; 그리고 (e) 전사된 대화가 첨부되지 않았지만 훈련된 코딩자로부터 피드백을 받아 비디오 테이프를 코딩하기. 어떤 집단이 훈련받은 코딩자 없이 시스템을 익히고 있다면, 다음과 같은 것을 권장한다. 단계 (d)에서 두 연구 보조자가 문제가 없는 가족과 의뢰된 가족 둘 다를 대상으로 녹화한 상호작용을 각자 전사하고 그 정확성을 함께 검토하여 차이가 나는 내용을 해결하기. 단계 (e)의 경우, 연구 보조자는 새로운 테이프로 (d)에서의 모든 단계를 반복할 수 있다. 이 상황에서 우리는 한명의 코딩자는 전사를 해서 코딩하고 다른 코딩자는 전사 없이 코딩할 것을 권장한다. 다음으로 코딩자가 역할을 바꿔서 또 한 번 코딩한다. 전사를 사용하면 코딩자들 사이의 일치와 불일치가 발견되고 논의될 수 있다. 그리고 이 코딩 시스템이 이러한 대안적 방식으로 학습되거나 훈련된 코딩자와 함께 학습되어 '마스터'되었다는 것은 치료 전 각각의 5분 상호작용(CLP, PLP, Clean-up)이 포함된 15분 준거 테이프를 코딩자가 코딩할 때 각 카테고리에 대해서 훈련된 코딩자와 적어도 80% 일치율을 달성해야 한다.

이 훈련 워크북을 학습할 때, 퀴즈를 풀고 지시에 따라서 제공된 종이 위에 퀴즈점수를 기록해야 한다. 채점할 때, 한 문항이 한 개 이상의 응답 카테고리로 코딩 되더라도 각 문항 수가 하나의 단위로 고려되어야한다. 퀴즈 점수가 90% 이하이면 코딩 매뉴얼에서 그 부분을 다시 학습해서 두 번째 퀴즈를 풀어야 한다. 또 두 번째 퀴즈에서 점수가 90% 이하이면 90% 준거를 마스터 할 때까지 그 부분을 계속 학습해야 한다.

뒤에 있는 정답지 부분에서, 정답 코드와 함께, 왜 그 답이 옳은지를 설명할 DPICS 매뉴얼 관련 가이드라인이 있다. 예를 들어, 정답이 BD이고, 가이드라인이 BD2로 코딩되면, DPICS 매뉴얼에서 BD카테고리의 두 번째 가이드라인을 말한다.

워크북의 활용에 관한 조언이 있으면 환영합니다. 만약 정답이 잘못되었거나 DPICS 매뉴얼에서 예시나 정의가 혼동된다고 생각되면 우리들에게 알려주시길 바랍니다. 그러한 피드백은 미래에 더 좋은 코딩 매뉴얼과 워크북을 제공하는데 도움이 될 것입니다.

부모 카테고리

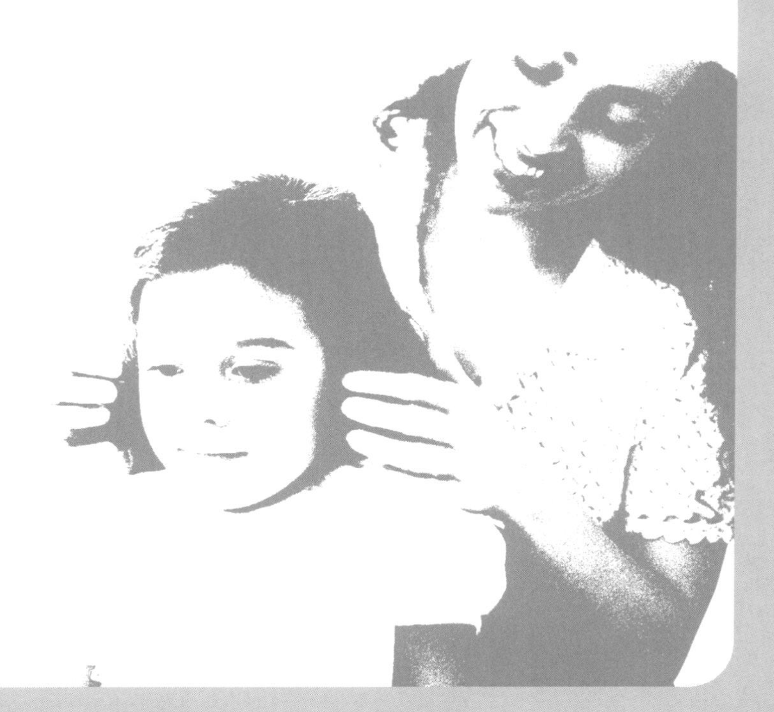

문장 이해하기

다음은 행동묘사(BD)를 이해하고 다른 형태의 대화와 구분하도록 도울 수 있는 퀴즈이다. 퀴즈를 시작하기 전에, DPICS의 코딩 매뉴얼의 일상적인 대화(TA)와 행동묘사 부분을 읽어 보고, 이 카테고리를 충분히 이해한 후에, 빈칸에 퀴즈의 정답을 쓰시오. (정답은 74쪽을 보시오.)

1. 놀이실에 있는 물건을 묘사하는 말은 __________로 코딩한다.
2. 아동이 현재 하고 있는 활동을 묘사하는 말은 __________로 코딩한다.
3. 행동묘사는 __________(특정 시간) 일어나는 행동만을 묘사하는 것이다.
4. 아동이 어떤 일을 하도록 허락해 달라고 할 때, 허락하는 말은 __________로 코딩한다.
5. 아동이 현재 하고 있거나, 혹은 방금 마친 적절치 않은 행동에 대해 비판하지 않으면서 일반적인 규칙을 설명해 주는 말은 __________로 코딩한다.
6. 아동에게 정보를 주는 어떤 말은 은연중에 지시적일 수 있다. 그러나 지시(DC와 IC)는 아동으로 하여금 __________이나 또는 신체행동을 하도록 요구하는 동사구를 포함할 때만 코딩한다.
7. 행동묘사와 일상적인 대화는 평가에 중립적이어서 아동의 행동이나 결과물에 대한 __________이나 __________이 포함되지 않는다.
8. 아동이 소유하지 않거나 아동이 만들지 않은 놀이 상황(예를 들어, 장난감, 활동, 아이디어들)의 어떤 점을 칭찬하거나 비난하는 말은 __________로 코딩한다.
9. 부모가 아동과 자신이 현재 함께하고 있는 행동을 묘사하는 말은 ('우리'가 문장의 주어일 때) __________로 코딩한다.
10. 행동묘사인지 일상적인 대화인지 불확실할 때는__________로 코딩한다.

(정답)________/10=________%

행동묘사(BD)와 일상적인 말(TA) 구분하기

다음에 나오는 부모의 말을 일상적인 말과 행동묘사로 구분해 보시오. 어떤 항목은 한 개 이상으로 코딩될 수 있다. (정답은 74쪽을 보시오.)

1. 감자 인형이 카우보이 모자를 쓰고 있구나.__________
2. 네가 즐거운 시간을 보내고 있는 것 같다.__________
3. 네가 지난주에 감자인형을 창고에 두었어.__________
4. 우리가 방금 비행기를 만든 것 같다.__________
5. 네 무릎 위에 빨간 장난감이 있구나.__________
6. 우리가 지난번에 여기에 왔을 때 넌 요새를 만들었어.__________
7. 여왕이네, 네가 여왕을 왕좌에 놓는구나.__________, __________
8. 네가 퍼즐 조각을 맞추려고 애쓰고 있구나, 그런데 조각들이 잘 안 들어가네.
   __________, __________
9. 네가 그것을 찾았구나.__________
10. 네가 방금 그 인형을 '스쿠터'라고 이름지었구나.__________
11. 네가 막대기들을 줄세워 놓는구나. (1초) 그것들로 울타리를 만들고 있네.
    __________, __________
12. 그런 집을 지으려면 더 많은 벽돌이 필요할 거야.__________
13. 이 의자에서는 삐걱거리는 소리가 나네.__________
14. 네가 블록을 쌓고 있구나. (2초) 하나를 더 올려놓았네.(3초) 하나는 떨어졌네.
    __________, __________, __________
15. 네가 만든 탑은 높구나.__________
16. (퍼즐을 함께 완성하며) 우리에겐 인내심이 좀 더 필요했던 것 같다.__________
17. 엄마는 지금 색칠하고 싶어.__________
18. 엄마는 네 말을 못 들었어.__________
19. (통나무집을 완성하며) 우리가 정말 빨리 이것을 만들었네.__________
20. (각각의 색 블록을 가리키며) 초록, 빨강, 노랑이네.__________, __________, __________

(정답)________/20=________%

질문 구분하기 I

다음 퀴즈는 부모의 질문을 이해하도록 돕는 것이다. 퀴즈를 시작하기 전에 DPICS 코딩 매뉴얼의 정보 질문(IQ)과 묘사/반영 질문(DQ) 부분을 읽고, 이해한 것을 퀴즈를 통해 테스트해 보시오. (정답은 75쪽을 보시오.)

1. 그건 뭐니?__________
2. 그것은 파란색이구나, 그렇지?__________
3. 수지야, 뭐라고 말했니?__________
4. 정말?__________
5. 어떤 것이 여기에 들어갈까(또는 맞을까?)?__________
6. 그것은 깡충 뛰니(예를 들어, 네가 말한 게 이거니?)?__________
7. 너는 이것을 좋아하니?__________
8. 거의 다했다, 그렇지?__________
9. 너는 아니?__________
10. 이건 어떻게 움직이게 하니?__________
11. 어떤 것이 더 좋아 보이니? 분홍? 아니면 초록?__________
12. 레고 가지고 놀고 싶니?__________
13. 그건 하나밖에 없니?__________
14. 몇 시니?(알아듣기 어려운 반응, 3초) 응?__________, __________
15. 집에 갈 시간이니?__________
16. (모양을 가리키며) 이게 뭐지?__________
17. 이 글자가 뭔지 아니?__________
18. 이 글자가 M이니?__________
19. 이해가 되니?__________
20. 이 차고는 뭐가 잘못됐지?__________

(정답)________/20=________%

질문 구분하기 Ⅱ

(정답은 75쪽을 보시오.)

1. C(아동) : 빨간색 조각이 더 이상 없어요.
   P(부모) : 확실하니?__________
2. C : 저 그림은 집처럼 보여요.
   P : 창문은 어디에 있니?__________
3. C : 제가 학교에서 발렌타인데이 카드를 만들었어요.
   P : 발렌타인데이 카드, (그래)?__________
4. C : 어젯밤에 '심슨 가족' 만화를 봤어요.
   P : 무슨 내용이었니?__________
5. C : (사고로 팔을 탁자에 부딪힘.)
   P : 괜찮니?__________
6. C : (아동이 탁자 위에 머리를 대고 있다.)
   P : 오늘 밤에는 좀 더 일찍 잠자리에 들어야겠구나, 그렇지?__________
7. C : 저는 커다랗고 멋진 성을 그리고 있어요.
   P : 내가 그 성 주위의 해자(성 주위를 두르는 도랑 같은 것)를 그려도 될까?__________
8. C : 내일 큰 고모네 집에 가고 싶어요.
   P : 오늘 밤에는 뭐 할 거니?__________
9. C : 체커하고 놀아요.
   P : 넌 빨간색으로 하고 싶니, 초록색으로 하고 싶니?__________
10. C : 집에 가는 길에 아이스크림 먹으러 들러도 돼요?
    P : 아이스크림 가게에 들르자고?(네가 말한 게 이거니?)__________
11. C : '딩동댕 유치원'은 내가 제일 좋아하는 프로그램이에요.
    P : 오늘 밤엔 뭐 볼 거니?__________
12. C : 저 여자애가 못된 것 같아 보여요.
    P : 못됐다고? (못됐다고 말한 거니?)__________
13. C : 이 크레용들은 깨끗해요.
    P : 뭐라고?__________

14. C : (쓰러진 장난감을 주움)
    P : 얘야, 네 생각은 어때?__________
15. C : 칠판을 가지고 놀고 싶어요.
    P : 분필이 필요하니?__________
16. C : 저는 이런 큰 크레용이 좋아요.
    P : 이런 크레용을 사줬으면 좋겠니?__________
17. C : 아빠 여기 보세요. 내가 퍼즐을 다 맞췄어요.
    P : (미소 지으며) 어떻게 그렇게 빨리 끝냈니?__________
18. C : 전 지금 고양이를 그리고 있어요.
    P : 이게 뭐라고, (2초) 응?__________, __________
19. C : (다리를 꼬고 있다.)
    P : 화장실에 가야 될 것 같은데, 그렇지?__________
20. C : 이건 칙칙폭폭 앞이에요.
    P : 기차 엔진 말이니?__________
21. C : 그건 거기에 맞지 않을 거예요.
    P : 왜 맞지 않을 것 같니?__________
22. C : 우리는 어젯밤에 불꽃놀이를 봤어요.
    P : 끝날 때 어땠는지 기억나니?__________
23. C : 우리 주차장 놀이해요.
    P : 내가 빨간 차로 해도 될까?__________
24. C : 전 하얀 작은 점들로 구름을 만들고 있어요.
    P : 뭐라고?__________
25. C : 저는 이 (퍼즐)조각을 맞출 수가 없어요.
    P : (조각을 넣으며) 이제 알았지(봤지)?__________

(정답)________/25=________%

복습 퀴즈 I

다음에 나오는 부모님의 대화를 행동묘사, 일상적인 대화, 정보 질문, 묘사/반영 질문으로 구분하시오. (정답은 76쪽을 보시오.)

1. (둘 다 그림을 그리고 있다.) 너는 해적선을 그리고 있구나.__________
2. 해적이 가지고 있는 보물은 뭐니?__________
3. 금화(억양을 올리며)?__________
4. 해적들은 보물을 무인도에 묻지, 그렇지?__________
5. 우리 해적선은 전 세계를 항해할 만큼 충분히 크다.__________
6. 우리는 이 배에 돛을 달고, 꼭대기에 해골과 X자 뼈모양 깃발을 그리고 있다.
   __________, __________
7. 해적들은 어디로 항해를 할까?__________
8. 나는 해적선 위에 Black Beard(유명했던 해적별명)를 그리고 있어.__________
9. 너는 그림 그리기를 좋아하는 것 같다.__________
10. 네가 그리고 있는 그 해적선은 무시무시해 보인다.__________
11. 넌 웃고 있구나.__________
12. 이건 정말 재미있지 않니?__________
13. 다음에는 너 뭐하고 싶니?__________
14. 무엇이 재미있을지 아니?__________
15. 난 로켓 배를 그리고 싶어.__________
16. 네가 로켓을 그리고 있구나. (2초) 로켓에서 불이 나오고 있네. (3초) 발사된 것이 틀림없어.
    __________, __________, __________
17. 로켓이 어디로 가고 있니? (3초) (억양을 올리며)화성?__________, __________
18. 너는 커서 우주 비행사가 되고 싶니?__________
19. 네가 내는 소리가 뭐니?__________
20. 너는 로켓소리를 내고 있구나?__________

(정답)________/20=________%

칭찬 이해하기(UP와 LP)

다음 퀴즈는 구체적이지 않은 칭찬(UP)과 구체적인 칭찬(LP)을 구분하도록 도와주기 위한 것이다. DPICS 매뉴얼의 이 카테고리의 설명을 검토하고 나서, 빈칸에 UP를 LP로 각각 바꿔 보시오. (각 문항당 두 가지 LP 정답이 76쪽에 제시되어 있다.)

1. 상황 : 소민이가 블록으로 집을 만들고 있다.
   UP : 멋지구나.
   LP : ______________________________
   LP : ______________________________
2. 상황 : 소민이는 엄마가 재킷의 단추를 채울 동안 조용히 앉아 있다.
   UP : 너는 정말 착한 아이로구나.
   LP : ______________________________
   LP : ______________________________
3. 상황 : 소민이는 색칠공부 책에서 농장을 칠하고 있다.
   UP : 정말 잘했구나.
   LP : ______________________________
   LP : ______________________________
4. 상황 : 소민이는 블록 장난감을 아빠한테 건네준다.
   UP : 착하구나.
   LP : ______________________________
   LP : ______________________________
5. 상황 : 소민이가 단어의 철자를 정확하게 말한다.
   UP : 잘했네.
   LP : ______________________________
   LP : ______________________________
6. 상황 : 소민이는 엄마를 도와서 책상 위에서 상자를 치운다.
   UP : 도와줘서 고맙구나.
   LP : ______________________________
   LP : ______________________________

7. 상황 : 소민이가 아빠한테 "고맙습니다."라고 말한다.

   UP : 넌 정말 예의 바르구나.

   LP : ______________________________

   LP : ______________________________

8. 상황 : 소민이는 엄마가 떨어뜨린 귀걸이를 주워 준다.

   UP : 너는 정말 마음이 친절하구나.

   LP : ______________________________

   LP : ______________________________

9. 상황 : 소민이가 "내가 그린 것 좀 보세요."라고 밝게 웃음 지으며 말한다.

   UP : 정말 굉장하구나. 그렇지?

   LP : ______________________________

   LP : ______________________________

10. 상황 : 소민이가 발렌타인데이 카드에 "사랑해요, 아빠."라고 쓴다.

    UP : 천사 같으니라구.

    LP : ______________________________

    LP : ______________________________

(정답)________/10=________%

칭찬 구분하기 I (UP 대 LP)

이번 퀴즈에서, 다음과 같은 부모의 대화를 구체적이지 않는 칭찬, 구체적인 칭찬, 또는 다른 언어 카테고리로 구분하시오. (정답은 77쪽을 보시오.)

1. 너 정말 잘했다.__________
2. (아동이 퍼즐을 완성하다.) 환상적이다.__________
3. 파란 하마를 나한테 건네줘서 고마워.__________
4. 넌 그것을 멋지게 그렸구나.__________
5. 너는 정말 착한 아이구나.__________
6. 난 네가 그것들을 모아 놓은 방법이 마음에 들어.__________
7. 훌륭하다.__________
8. 네가 그것을 찾았구나, 최고다.__________, __________
9. 귀염둥이야 잘했어.__________
10. 난 너랑 노는 게 좋아.__________
11. 넌 정말 똑똑하구나.__________
12. 이 부분을 먼저 시작하다니 너는 정말 똑똑하구나.__________
13. 넌 아주 조용히 놀고 있구나.__________
14. 네가 옳아.__________
15. 잘한 일이네.__________
16. 난 네가 자랑스러워.__________
17. (로켓을 만들며) 넌 훌륭한 건축가구나.__________
18. (로켓을 만들며) 멋진 로켓이구나.__________
19. 잘했다, 넌 아주 깨끗이 치웠구나, 훌륭해.__________, __________, __________
20. 고마워.__________
21. 넌 그것을 아주 빠르게 끝냈구나.__________
22. 잘했네, 너는 그 블록을 잡았구나.__________, __________

(정답)________/22=________%

칭찬 구분하기 Ⅱ(UP 대 LP)

다음 퀴즈를 통해 구체적인 칭찬과 구체적이지 않은 칭찬을 구분하도록 계속해서 도움을 주고자 한다. 각 문제의 세 번째 줄에 있는 부모의 말을 코딩하시오. 거기에는 하나 혹은 하나 이상의 카테고리가 있을 수 있다. 만약에 칭찬 이외의 다른 말이 있으면, 그것을 코딩하거나, 칭찬 이외의 다른 카테고리라는 것을 나타내기 위해 × 표시만 해도 된다. (정답은 78쪽을 보시오.)

C : (블록을 탑 위에 올려놓는다.)
C : 지금까지 세 개 올렸어요.
1. P : 잘 했어.__________

P : 초록색 크레용 좀 줘라.
C : (초록색과 빨간색 크레용을 건네준다.)
2. P : 고마워, 내가 부탁한 대로 해 주었구나.__________, __________

P : 막대기 한 개만 더 줘.
C : (계속 건물을 만든다.)
3. P : 넌 훌륭한 건축가구나.__________

P : 지붕을 약간만 올려 줘.
C : (지시를 잘 따름)
4. P : 잘했어, 집이 거의 다 완성됐다.__________, __________

P : 장난감 상자 뚜껑을 닫아라.
C : (지시를 잘 따름)
5. P : 네가 뚜껑을 닫았구나. 잘했어.__________, __________

P : 통나무집 만들던 거 계속해.
C : (계속 작업 중이다.)
6. P : 잘하네.__________

P : 분홍색 크레용 좀 건네줘.

C : (분홍색 크레용을 건네준다.)

7. P : 나에게 분홍색 크레용을 주었구나. 난 네가 말을 잘 들어줘서 정말 자랑스러워.

   ___________, ___________

P : 나 좀 봐.

C : (부모를 쳐다본다.)

8. P : 잘했어, 나에게 집중해 줘서 기쁘다.___________, ___________

P : 네 집에 쥐를 그려봐.

C : (그림을 그린다.)

9. P : 그래. (2초) 멋진 쥐네.___________, ___________

P : 동물원에 동물들을 놓아 봐.

C : (지시를 잘 따름)

10 P : 좋아. 잘했어. 네가 동물들을 놓은 방식을 보니 너 똑똑하구나. 넌 정말 영리해.

   ___________, ___________, ___________, ___________

(정답)_________/10=_________%

칭찬 구분하기 Ⅲ(UP 대 LP)

다음 퀴즈는 칭찬들(LP 대 UP)과 다른 말들(TA와 BD)을 구분하도록 도와주기 위한 것이다. 다음의 예시문를 읽고, UP, LP, BD, TA 중에서 바른 것을 선택하여 빈칸에 넣으시오. (정답은 78쪽을 보시오.)

1. C : (지시에 따른다.)
   P : 내가 하라고 말한 것을 네가 해 줘서 좋구나.__________
2. C : (지시에 따른다.)
   P : 네가 이해해서 기쁘구나.__________
3. C : (지시에 따른다.)
   P : 내가 너에게 말한 곳에 정확하게 놓았구나.__________
4. C : (집을 그렸다.)
   P : 네가 그린 집은 아름답구나.__________
5. C : (집을 그렸다.)
   P : 아름답구나.__________
6. C : (집을 그렸다.)
   P : 네가 그린 집은 꽤 크다.__________
7. C : (그녀가 떨어뜨렸던 블록을 집어 든다.)
   P : 블록을 집어 줘서 고마워__________
8. C : (그녀가 떨어뜨렸던 블록을 집어 든다.)
   P : 고마워.__________
9. C : (그녀가 떨어뜨렸던 블록을 집어 든다.)
   P : 떨어뜨린 것은 집어야 하는 것을 기억했구나.__________
10. C : (그림에 있는 별을 세고 있다.)
    P : 잘하네.__________
11. C : (그림에 있는 별을 세고 있다.)
    P : 잘 세는구나.__________
12. C : (그림에 있는 별을 세고 있다.)
    P : 세는 것을 정말 잘하네.__________
13. C : (그림에 있는 별을 세고 있다.)
    P : 네가 그림에 있는 모든 별을 세고 있구나.__________

14. C : 이 책에는 예쁜 그림이 많아요.
    P : 그것은 예쁜 무지개구나.__________
15. C : 저는 예쁜 그림을 그리고 있어요.
    P : 나는 네 그림에 예쁜 햇님을 그리고 있단다.__________
16. C : 전 큰 비행기를 만들었어요.
    P : 그거 멋지구나.__________
17. C : 집 가지고 놀아요.
    P : 좋은 생각이구나.__________
18. C : 집 가지고 놀아요.
    P : 집을 가지고 놀자는 것은 좋은 생각이다.__________
19. C : (놀이용 책상으로 다가온다.)
    P : 잘했어. 네가 책상으로 왔구나.__________, __________
20. C : (장난감을 가지고 논다.)
    P   조용히 놀다니 정말 착한 아동구나.__________
21. C : (문제집에서 숫자 문제를 풀고 있다.)
    P : 넌 빨리 푸는구나.__________
22. C : (문제집에서 숫자 문제를 풀고 있다.)
    P : 넌 숫자를 아주 똑바로 쓰고 있구나.__________
23. C : (아빠에게 이야기를 해 주고 있다.)
    P : 흥미있는 이야기네.__________
24. C : (아빠에게 이야기를 해 주고 있다.)
    P : 넌 상당히 이야기꾼이구나.__________
25. C : (아빠에게 이야기를 해 주고 있다.)
    P : 그건 훌륭한 이야기구나.__________

(정답)________/25=________%

칭찬 구분하기 Ⅳ(UP 대 LP)

다음의 퀴즈를 통해 칭찬(LP와 UP)과 다른 표현들(TA와 BD)을 구분하는 연습을 더 하게 될 것이다. 다음에 나오는 부모의 대화를 읽고, UP, LP, BD, TA 중에서 정답을 선택하여 빈칸에 써 넣으시오. (정답은 79쪽을 보시오.)

1. 그것 멋진데.__________
2. 잘했네. 맘에 들어.__________, __________
3. 내가 부탁한 대로 빨간 크레용을 줘서 고마워.__________
4. 잘했다. 네가 인형을 그 인형차 안에 넣었구나.__________, __________
5. 어떻게 그렇게 똑똑하게 해냈니.__________.
6. 넌 별을 만들고 있구나. 굉장하다.__________, __________
7. 그렇고 말고. (부모가 박수치면서 말한다.) 너는 블록을 내가 잡을 수 있는 곳에 놓았구나. __________, __________
8. 네 이야기는 굉장히 창의적이구나.__________
9. 네 이야기는 꽤 흥미롭다.__________
10. 나는 너랑 인형놀이 하는 게 좋아. 넌 재미있는 아동란다.__________, __________
11. (아동이 부모에게 그림 그린 것을 보여 준다.) 정말 사랑스럽구나.__________
12. 정말 좋은 생각이구나, 얘야. 너무 똑똑한 거 아니니.__________, __________
13. 조용히 앉아 있는 네가 너무 자랑스러워.__________
14. 넌 오늘 착한 아이처럼 행동하는구나.__________
15. 네 장난감들을 그렇게 빨리 정리하다니 천사 같다.__________
16. 넌 아주 열심히 하고 있구나.__________
17. 너랑 내가 세상에서 최고인 집을 만들었다. 우리는 훌륭한 건축가다.__________, __________
18. (아동이 "나를 사랑해요?"라고 묻는다.) 그럼.__________
19. 내가 너한테 앉으라고 할 때 앉아 줘서 기뻐.__________
20. 네가 학교에서 A를 받아서 기뻐 보인다.__________

(정답)________/20=________%

구체적이지 않은 칭찬과 일상적인 말 구분하기

다음의 퀴즈는 일상적인 말과 구체적이지 않은 칭찬을 구분하는 데 도움을 줄 것이다. DPICS 매뉴얼에서 이 카테고리에 대한 설명을 검토하고 다음의 대화를 읽고 빈칸에 정답을 써 넣으시오. 부모님의 대화만 코딩하시오. (정답은 79쪽을 보시오.)

1. C : 의자를 가져와도 돼요?
   P : 어.__________
2. C : 보세요, 엄마. 내가 했어요.
   P : 그래 잘했구나.__________
3. C : 제가 도와드릴게요.
   P : 정말 친절하구나.__________
4. C : 하나 끝냈어요, 아빠.
   P : 그래.__________
5. C : (엄마에게 장난감을 준다.)
   P : 고마워.__________
6. C : 이런 것들 좀 사도 돼요?
   P : 그래.__________
7. C : 제가 그린 핵융합 반응장치 좀 보세요.
   P : 오, 그거 대단하구나.__________
8. C : 크리스마스 때 우리가 엄마한테 테니스 채를 선물해요.
   P : 이야, (3초) 좋은(생각인)데.__________, __________
9. C : 엄마, 내가 다 지웠어요.
   P : 잘했어.__________
10. C : 아빠, 내가 동물들을 주웠어요.
    P : 네가 도와줘서 기쁘구나.__________
11. C : 엄마 예뻐요.
    P : 사랑해, 그리고 네가 그렇게 말해 줘서 좋아.__________, __________
12. C : 고마워요.
    P : 천만에.__________

13. C : 제가 엄마한테 줄 발렌타인데이 카드를 만들었어요.
    P : 어머나, 우와.__________
14. C : 제가 예쁜 발렌타인데이 카드를 만들었나요?
    P : 그렇고말고.__________
15. C : 저 나쁜 아이예요?
    P : 절대 아니란다.__________
16. C : 제가 혼자서 이것들을 모두 올려놓았어요.
    P : 넌 훌륭하구나.__________
17. C : 제가 엄마 것보다 더 높이 만들었어요.
    P : 정말 솜씨가 좋구나.__________
18. C : 제가 엄마를 위해서 이 그림을 그렸어요.
    P : 너무 아름다운데.__________
19. C : 저는 바지에 오줌 싸지 않았어요.
    P : 다 큰 아이구나.__________
20. C : (지시에 따른다.)
    P : 잘한다. (2초) 앗싸. (박수침)__________, __________

(정답)________/12=________%

복습 퀴즈 Ⅱ

이 퀴즈에서 여러분은 주어진 대화 문장이 행동묘사인지, 일상적인 말이나 정보 질문인지, 묘사/반영 질문, 구체적인 칭찬 혹은 구체적이지 않은 칭찬인지를 결정해서 빈칸에 넣으시오. (정답은 80쪽을 보시오.)

1. P : 초록색 크레용을 나에게 주고 싶니?__________
2. P : 넌 환상적인 그림을 그리고 있구나.__________
   C : (부모에게 분홍 크레용을 건네준다.)
3. P : 고마워.__________
4. P : 네가 나에게 빨간색 마차를 주었구나.__________
5. P : 그렇게 친절하게 나눠 줘서 고마워.__________
6. P : 장난감 자동차가 정말 빨리 달린다.__________
7. P : 그건 빠르구나.__________
8. P : 난 그녀의 드레스에 꽃을 그릴 거야.__________
   C : 전 그녀의 드레스에 꽃을 그리고 싶어요. (드레스에 꽃을 그린다.)
9. P : 네가 아름다운 꽃을 그렸구나. 멋지다. 정말 좋은 생각이야.
   __________, __________, __________
10. P : 네가 코끼리를 발견했구나.__________
11. P : 잘했다, 최고다, 네가 그것을 발견했구나, 나는 네가 그렇게 열심히 할 때가 좋아.
    __________, __________, __________, __________
12. P : 난 노아의 방주에 코끼리를 놓을 거란다. 괜찮지(억양을 올리며)?__________
13. P : 네가 코끼리가 젖지 않게 방주에 놓았구나. 잘했다. 너는 참 사려가 깊구나, 난 코끼리가 젖는 것을 좋아한다고 생각하지 않아.__________, __________, __________, __________
14. P : 하늘 그리는 데 무슨 색을 쓸 거니?__________
15. P : 잘했다. 이제 그림이 완성되었네.__________, __________
16. P : 네가 크레용이 원래 있었던 곳에 다시 두었구나.__________
17. P : 네가 옳아. 넌 기억력이 아주 좋구나. 그것들은 상자 안에 들어가네.
    __________, __________, __________
18. P : 이 게임은 어때?__________
    C : (계속 색칠을 한다.)
19. P : 넌 아직 색칠을 하고 있구나.__________

20. P : 내말을 들어줘서 고마워, 너는 좋은 아이구나, 게임을 제자리 선반에 다시 올려놓다니, 잘했어.

____________, ____________, ____________, ____________

(정답)__________/20=__________%

행동묘사, 반영, 일상적인 말 구분하기 I

다음의 퀴즈는 반영(RF), 행동묘사, 일상적인 말이나 지금까지 배웠던 다른 대화들을 구분하는 데 도움을 줄 것이다. 우선 DPICS 매뉴얼의 반영 카테고리를 검토하고, 각 문장에 대한 적절한 카테고리를 선택하시오. (정답은 81쪽을 보시오.)

1. C : 그 아이 이름은 소민이에요.
   P : 너는 그 아이를 소민이라고 이름지었구나.__________
2. C : 내가 잃어버린 조각을 찾았어요.
   P : 잘했어. 네가 그걸 찾았구나.__________, __________
3. C : 같이 요새 만들어요.
   P : 그래, 요새라구.__________, __________
4. C : 나는 헬리차퍼(단어를 잘못 말함)를 만들고 있어요.
   P : 네가 헬리콥터를 만들고 있구나.__________
5. C : 이게 인형 코예요?
   P : 그것은 귀란다. 여기에다 끼우는 거야.__________, __________
6. C : 이거 뭐라고 불러요?
   P : 밑에다 써 넣기 위해 그것을 뭐라고 부르는지 알고 싶은 거구나.__________
7. C : 나한테 파란 코끼리가 있어요.
   P : 너한테 파란 코끼리가 있구나.__________
8. C : 나한테 파란 코끼리가 있어요.
   P : 그렇구나.__________
9. C : 나한테 파란 코끼리가 있어요.
   P : 너한테 파란 코끼리와 초록 원숭이가 있구나.__________
10. C : 기차는 칙칙폭폭.
    P : 기차가 칙칙폭폭하며 가는구나.__________
11. C : 나는 호박을 그렸어요.
    P : 네가 호박을 그렸구나. 주황색 호박을 그렸구나.__________, __________
12. C : 나는 예쁜 집을 만들었어요.
    P : 네가 예쁜 집을 만들었구나.__________

13. C : 저는 색칠하고 있어요.

    P : 나도 너랑 똑같이 색칠하고 있어.__________

14. C : 제가 동물원에 동물들을 넣고 있어요.

    P : 네가 동물들이 원래 있어야 할 동물원에 동물들을 넣고 있구나.__________

15. C : 이것은 원이에요.

    P : 실은 그것은 타원이야.__________

(정답)________/15=________%

행동묘사, 반영, 일상적인 말 구분하기 Ⅱ

다음의 퀴즈를 통해 반영, 행동묘사와 일상적인 대화를 구분하는 연습을 더 많이 하게 될 것이다. (정답은 81쪽을 보시오.)

1. C : 나한테 음메-음메가 있어요.
   P : 너한테 소가 있구나.__________
2. C : 아빠, 보세요.
   P : 네가 집을 만들었구나.__________
3. C : 저는 말을 블랙 뷰티(캐릭터 이름)처럼 검은색으로 칠했어요.
   P : 와우, (2초) 네 말은 블랙 뷰티랑 똑같은 검은색이구나.__________, __________
4. C : 이거는 뭐예요?
   P : 넌 그게 뭔지를 알고 싶구나.__________
5. C : (머리를 부딪힘) 아야!
   P : 아야, 머리를 부딪혔구나.__________
6. C : 당나귀가 뭐예요?
   P : 당나귀는 말과 비슷해.__________
7. C : 저한테 자동차가 두 대 있어요.
   P : 너한테 자동차가 두 대 있구나. 빨간 자동차와 파란 자동차가 있네. 너는 파란 자동차를 방금 앞으로 옮겼구나.__________, __________, __________
8. C : 이 게임은 시시해요.
   P : 너는 이 게임이 시시하다고 생각하는구나.__________
9. C : 이 게임은 시시해요.
   P : (비웃으며) 이 게임은 시시해.__________
10. C : 전 학교를 그렸어요.
    P : 네가 아이들이 있는 학교를 그렸구나.__________
11. C : 저는 학교를 그렸어요.
    P : 우리 둘 다 학교를 그렸네.__________
12. C : 저는 집을 만들고 있어요.
    P : 그래, 네가 집을 만들고 있다고.__________

13. C : 저 그 자동차 가져도 돼요?

    P : 그래, 네가 이 자동차를 가져도 된단다.__________, __________

14. C : 저는 뽀로로를 앉혔어요.

    P : 난 루피를 앉혔단다.__________

(정답)________/14=________%

행동묘사, 반영, 일상적인 말 구분하기 Ⅲ

다음의 퀴즈를 통해 반영, 행동묘사와 일상적인 대화를 구분하는 연습을 더 많이 하게 될 것입니다. (정답은 81쪽을 보시오.)

1. C : (블록을 가지고 놀고 있다.)
   P : 네가 블록을 가지고 놀고 있구나.__________
2. C : 이 자동차는 빨라요.
   P : 그래, 그 자동차는 정말 빠르구나.__________, __________
3. C : (자동차들을 상자에 넣고 있다.)
   P : 네가 자동차들을 치우고 있구나.__________
4. C : 뭐 그리고 있어요?
   P : 난 너를 그리고 있단다.__________
5. C : 이 트럭의 바퀴가 삐걱거려요.
   P : 그건 아마 오래된 트럭일 거야.__________
6. C : 전 아빠랑 같이 트럭 고치러 가고 싶어요.
   P : 네가 아빠랑 함께 정비소에 가고 싶구나.__________
7. C : 그 이야기는 정말 웃겨요.
   P : 그 이야기는 정말 웃긴다. 너를 웃게 만들었어.__________, __________
8. C : 제가 아이스크림과 쿠키를 먹어도 된다고 엄마가 말했어요.
   P : 엄마는 아이스크림만 먹을 수 있다고 말했단다.__________
9. C : 전 큰 사각형을 만들었어요.
   P : 네가 삼각형을 만들었구나.__________
10. C : 이건 집이에요. 내가 레고로 만들었어요.
    P : 레고 집.__________
11. C : 큰 아이스크림을 사줘서 고맙습니다.
    P : 내가 가져온 깜짝 선물을 좋아하는구나.__________
12. C : 뚜껑을 덮을까요?
    P : 그래, 뚜껑은 거기에 놓을 수 있어.__________, __________
13. C : 아빠한테 제가 전등을 깼다고 말하기가 무서워요.
    P : 너는 아빠한테 그것에 대해 말하기가 무섭구나.__________

14. C : 크리스마스 때 이 자동차들 중 하나를 갖고 싶어요.

 P : 너는 그 자동차가 빨라서 좋은 거구나. 지금 너는 자동차를 빨리 가게 하고 있어.

 ___________, ___________

15. C : 제 성은 시시해 보여요.

 P : 네 성은 시시하지 않아.___________

16. C : 카드가 안 보여요. 비켜 주세요.

 P : 내가 방해가 돼서 안 보였구나.___________

17. C : 뽀로로와 루피는 음식을 사러 가고 있어요.

 P : 그 애들이 슈퍼마켓에 가고 있구나. 너는 뽀로로가 샌드위치를 사도록 하는구나.

 ___________, ___________

18. C : (성을 짓고 있다.) 이것은 작은 탑이에요.

 P : 네가 만들고 있는 것은 흥미로운 성이구나.___________

19. C : 'T'라고 말해 보세요.

 P : T.___________

20. C : 전 흥부 집을 만들었어요.

 P : 그건 진짜 흥부 집이구나.___________

(정답)_________/20=_________%

복습 퀴즈 Ⅲ

다음의 퀴즈는 여러분들이 앞에서 배운 모든 대화의 형태를 구분하는 데 도움을 줄 것이다. (정답은 82쪽을 보시오.)

1. C : 애는 바보 샐리예요.
   P : 그 애는 샐리구나. 샐리는 바보같은 아이구나.__________, __________
2. C : 지금 크레용을 상자에 같이 넣어요.
   P : 그래, 상자에.__________, __________
3. C : 제가 전부 다 주웠어요.
   P : 잘했구나. 네가 그것들을 전부 다 주웠어.__________, __________
4. C : 제 자동차는 쌩쌩 가요.
   P : 네 자동차는 아주 빨리 가는구나.__________
5. C : 이것은 몇 개예요?
   P : 그것이 몇 개지?__________
6. C : 저는 집을 그렸어요.
   P : 그거 예쁘구나.__________
7. C : 이거 무슨 색이에요?
   P : 그게 무슨 색인지 궁금하구나.__________
8. C : 코끼리를 우리에 넣어 주세요.
   P : 코끼리를 우리에 넣어달라고 부탁하는구나.__________
9. C : (코끼리를 떨어뜨림) 앗.
   P : 앗.__________
10. C : 이 말에는 검정과 흰색 줄무늬가 있어요.
    P : 그것은 얼룩말이란다.__________
11. C : 제 얼룩말은 엄마 것보다 더 커요.
    P : (억양을 올리며) 그러니?__________
12. P : 그렇지만 내 것은 더 큰 점이 있구나.__________
13. C : 제가 요새를 만들었어요.
    P : 요새를 만들었구나. 큰 요새를 만들었네.__________, __________

14. C : 제 요새는 멋져요.
    P : 너의 요새는 멋지다.__________
15. C : 이 조각들은 떨어지지 않을 것 같아요.
    P : 조각들이 딱 달라붙어서 네가 속상하구나.__________
16. C : (자동차를 비탈길로 운전한다.)
    P : (자동차를 비탈길로 운전하면서) 우리가 비탈길로 운전하고 있구나.__________
17. C : 우린 너무 똑똑해요.
    P : 그래, 우리는 매우 똑똑하지.__________, __________
18. P : 우리는 똑똑한 사람들이지. 나를 칭찬해 줘서 고맙구나.__________, __________
19. C : 저는 그림 그리기를 좋아해요.
    P : 너는 정말 그림 그리기를 좋아하는구나.__________
20. C : 초록색을 더 좋아해요, 파란색을 더 좋아해요?
    P : 파란색.__________

(정답)________/20=________%

지시 이해하기(IC와 DC)

다음의 퀴즈를 통해 간접지시(IC)과 직접지시(DC)를 구분하는 데 도움을 주고자 합니다. DPICS의 매뉴얼에서 이 카테고리에 대한 설명을 검토한 후 빈칸에 간접지시를 직접지시로 고쳐서 써 넣으시오. (정답은 83쪽을 보시오.)

1. (IC) 나한테 파랑 크레용 좀 주겠니?
   (DC) ______________________________
2. (IC) 여기, 내 옆에 앉으면 어떻겠니?
   (DC) ______________________________
3. (IC) 트럭을 차고에 넣자.
   (DC) ______________________________
4. (IC) 내가 말하고 있을 때 집중해 주면 좋겠구나.
   (DC) ______________________________
5. (IC) 소민아, 나한테 인형 좀 가져올래, 괜찮지.
   (DC) ______________________________
6. (IC) 네가 장난감 군인을 건네주면 고맙겠구나.
   (DC) ______________________________
7. (IC) 지금 조립식 장난감을 가지고 노는 것은 어떠니?
   (DC) ______________________________
8. (IC) 네가 계속 앉아 있으면 정말 좋을 텐데.
   (DC) ______________________________
9. (IC) 부탁인데 얌전히 행동해 줘, 그래 줄 수 있지?
   (DC) ______________________________
10. (IC) 네가 나에게 집을 그려 주면 정말 좋겠구나.
    (DC) ______________________________
11. (IC) 너 지금 책상에서 내려올 수 있지.
    (DC) ______________________________
12. (IC) 나한테 크레용 좀 집어 주면 어떨까?
    (DC) ______________________________

13. (IC) 우리는 지금 검정 조각을 놔야 할 것 같은데.
    (DC)____
14. (IC) 엄마에게 저 펜 좀 줄래?
    (DC)____
15. (IC) 그 블록들을 나와 함께 쓸 수 있니?
    (DC)____
16. (IC) 나한테 그 망치 주는 거 어때?
    (DC)____

(정답)________/16=________%

지시 구분하기 I (IC 대 DC)

다음에 있는 퀴즈를 통해 간접지시과 직접지시를 구분하는 데 도움을 주고자 한다. 다음과 같은 부모님의 대화를 읽고 간접지시인지 직접지시인지를 구분해 보시오. (정답은 83쪽을 보시오.)

1. 나한테 빨간 크레용 좀 줘.__________
2. 문 좀 닫는 게 어떻겠니?__________
3. 소민이는 네가 우유를 마시기를 원해 그리고 그 컵은 여기에 가져다주길 원하는데.
   __________, __________
4. 네 의자에 앉아. 그리고 손은 무릎 위에 놓아.__________, __________
5. 나한테 빨간 블록을 줘, 소민아.__________
6. 네가 여기에 앉는다면 내가 정말 기쁠 텐데.__________
7. 서랍장에 트럭을 넣고 서랍을 닫아라.__________, __________
8. (아동이 레고를 가지고 놀고 있다.) 네가 그 레고를 즉시 정리해야 해.__________
9. 우린 지금 보라색 트럭을 가져올 필요가 있어.__________
10. 우리 같이, 아니 내 말은 네가 장난감을 치워.__________
11. 그 종이에 색칠 하는 건 어떠니?__________
12. 저 책 좀 나에게 가져와라, 소민아.__________
13. 수납장에 가구를 넣어라. (3초) 서둘러.__________, __________
14. 내가 너의 신발 끈을 묶을 수 있도록 여기로 좀 와.__________
15. 소방차 좀 치워라 알겠니. 소민아.__________
16. 너는 그것을 노란색으로 칠해야 해.__________
17. 착한 아이처럼 예의 바르게 행동해.__________
18. 즉시 소를 우리 속에 넣어라.__________
19. 이것을 어떻게 하는지 기억해라. (억양을 올리며) 알겠니?__________
20. 장난감 내려놓고 테이블 쪽으로 올래?__________, __________

(정답)________/20=________%

지시 구분하기 Ⅱ(IC 대 DC)

다음과 같은 부모님의 대화가 지시(IC 대 DC)인지 다른 언어 카테고리인지를 구분하시오. (정답은 84쪽을 보시오.)

1. 내 말 들어봐.__________
2. 그 종이를 휴지통에 버리는 게 어때?__________
3. 네가 그 종이를 휴지통에 버리면 내가 이야기 책을 읽어 줄게.__________
4. 다음번엔 더 큰 바퀴를 사용해라.__________
5. (아동이 탑을 쌓고 있다.) 네가 꼭대기에 다른 블록을 놓길 바라.__________
6. 우선 그것들을 줄 세워 놓아야 해.__________
7. 소민아. (3초) 초록색 차 좀 줘.__________, __________
8. 알파벳 노래 부르고 싶니?__________
9. 탁자에 앉자.__________
10. 마지막 글자를 다시 말해 줄래? (5초) 부탁해.__________, __________
11. 성을 만들 수 있겠니?__________
12. 초록색 막대를 사용해도 돼.__________
13. 나한테 그것을 보게 해 줘.__________
14. 이제 이 블록들을 정리해.__________
15. (억양을 올리며) 알겠니?__________
16. 네가 그것을 집어 올려야 해.__________
17. 너랑 나는 부드럽게 말할 필요가 있어.__________
18. 기다려.__________
19. 지금 나한테 파랑 블록을 줘.__________
20. 노력해서 그것을 더 높이 쌓아.__________

(정답)________/20=________%

간접지시와 질문 구분하기(IC 대 QU)

다음의 퀴즈는 간접지시와 정보 질문, 묘사/반영 질문을 구분하는 데 도움을 줄 것이다. 다음과 같은 부모님의 대화를 읽고, 간접지시, 묘사/반영 질문 또는 정보 질문인지를 구분하시오. (정답은 84쪽을 보시오.)

1. 내가 잡고 있는 손가락은 몇 개니?__________
2. 나에게 손가락 두개를 보여 줄 수 있니?__________
3. 내 장난감 자동차를 어디에 뒀니?__________
4. 나에게 지갑을 가져다주는 건 어때?__________
5. 이제 이것을 정말로 높게 쌓아봐, 알겠지?__________
6. 네 주머니에 숨긴 게 뭐니?__________
7. 저 작은 것을 꼭대기에 놓는 걸 기억할 수 있지?__________
8. 난 네가 여기서 노는 게 좋을 것 같애.__________
9. 너는 불을 켜고 싶지 않은 거지, 그렇지?__________
10. 우리가 마친 후에는 요새를 만들자.__________
11. 자동차를 가지고 놀까 블록을 가지고 놀까?__________
12. 소민아, 너 이리로 올래?__________
13. 내가 이걸 끝낼 수 있게 블록 좀 줄래?__________
14. 내 집을 완성시키는 데 너의 블록을 써도 되니?__________
15. 참을 거지?__________, __________
16. 난 네가 차를 다시 가져오길 바란다. (3초) 너 내 말 들었니?__________, __________
17. 장난감을 정리하고 싶니?__________
18. 우리 이제 상자 속에 블록을 넣을까?__________
19. 인형을 가지고 놀고 싶니?__________
20. 테이블에서 내려오는 게 어떠니?__________

(정답)________/20=________%

복습 퀴즈 Ⅳ

다음 각 부모의 대화가 행동묘사, 일상적인 대화, 질문인지 아니면 지시(IC 또는 DC)인지를 구분하시오. (정답은 85쪽을 보시오.)

1. P : 칠판에 쓰고 싶니?__________
2. P : 칠판에 써.__________
3. P : 칠판에 써도 돼.__________
4. P : 지금 칠판에 써야만 해.__________
5. C : (아동이 의자에 앉아 있다.)
   P : 아이들은 안에 있을 때 걷는 거란다.__________
6. P : 긴 막대를 여기 지붕에 올려놓아라.__________
   C : (막대를 올려놓는다.)
7. P : 또 다른 막대를 여기에 놓아라.__________
   C : (막대를 놓는다.)
8. P : 그리고 또 하나.__________
   C : (막대를 놓는다.)
9. P : 네가 인형의 집을 만들었구나.__________
   C : (막대를 놓는다.)
10. P : (퍼즐을 맞추며) 이 부분에는 어떤 퍼즐조각이 들어가야 할까?__________
11. P : 이 조각을 끼워 봐. (아동에게 퍼즐조각을 건네준다.)__________
12. P : 이 조각이 맞을지도 몰라. (아동에게 퍼즐조각을 건네준다.)__________
13. P : 여기 (아동에게 퍼즐조각을 건네준다.)__________
14. P : 이제 우리 무얼 가지고 놀아야 할까?__________
15. P : 저걸 가지고 놀고 싶은 거니, (4초) 그러니?__________, __________
16. C : (현금 지급기를 가지고 놀고 있다.)
    P : 여기에 동전을 넣을 수 있어. (시범을 보인다.) 그러면 이렇게 서랍에서 동전이 나온단다.
    __________, __________
17. P : 알겠지.__________
18. P : 다시 한 번 말해 줄래?__________
19. P : 뭐라고 말했니?__________

20. P : 의자를 내 옆으로 좀 더 가까이 당겨 앉을래?__________
21. P : 나는 네가 여기 꼭대기에 블록 한 개를 올려놓았으면 좋겠구나.__________
22. P : 나는 여기 꼭대기에 블록 하나 더 있으면 좋겠어. (3초) 부탁이야.__________, __________
23. P : (아동에게 인형의 집을 건넨다.) 이것은 저기로 가야 해.__________
24. P : 잠시 기다리고 싶니?__________
25. P : (아동에게 코트를 입혀 준다.) 가만히 있어, 그래 줄래?__________

(정답)________/25=________%

부정적인 말과 직접지시 구분하기(NTA 대 DC)

다음 퀴즈는 부정적인 말과 직접지시를 구분하는 데 도움을 줄 것이다. 퀴즈를 시작하기 전에 DPICS 매뉴얼을 참고하여 이 카테고리를 충분히 검토하시오. 다음과 같은 대화를 읽고 난 다음 각 대화가 부정적인 말인지 직접지시인지를 빈칸에 표시하시오. (정답은 86쪽을 보시오.)

1. (아동이 테이블 위로 올라간다.) 테이블에 올라가면 안 돼.__________
2. 테이블에서 내려와.__________
3. 테이블에서 잉크를 닦아내고 종이에 써.__________, __________
4. 아가야, 그건 옳지 않은 것 같구나.__________
5. 인형 목에서 손을 떼도록 해.__________
6. 앞으로는 더 열심히 노력해야 돼.__________
7. 소민아, 부탁인데 그 소리 좀 내지 말아 줘.__________
8. 통나무를 거기 놓아서는 안 돼.__________
9. 나에게 다른 그림을 그려 줘.__________
10. 네가 내 말에 반박을 그만 한다면 좋을 텐데.__________
11. 돈을 다시 내 지갑에 넣어 줘.__________
12. 그 시계에서 떨어져라.__________
13. 퍼즐을 맞추다가 우리가 바보 같은 실수를 했구나.__________
14. 모든 퍼즐조각을 떨어뜨린 건 정말 바보 같은 짓이었어.__________
15. 제발 라켓 좀 가만히 둘 수 없겠니?__________
16. 너무 느리게 움직이는구나.__________
17. 네가 해 준 이야기가 지루하구나.__________
18. 너는 네 이름을 쓸 수 없는 것이 분명해.__________
19. 네 여동생 머리카락을 놔라.__________
20. 그 블록은 거기 놓으면 안 돼, 알았니, 애야.__________

(정답)________/20=________%

부정적인 말 구분하기 I

다음 퀴즈를 통해 부정적인 말과 그 외 DPICS 카테고리들을 구분하는 연습을 더 많이 하게 될 것이다. 아동이 말한 다음에 다양하게 대답하는 부모의 반응을 읽으시오. 그리고 그 부모의 반응이 부정적인 말인지 혹은 다른 카테고리인지를 구분하여 빈칸에 넣으시오. (정답은 86쪽을 보시오.)

1. C : (자동차들을 일렬로 세워놓는다.)
   P : 네가 모든 자동차들을 일렬로 세워 놓았구나.__________
2. P : 모든 자동차들을 줄 세워 놓았네, 그렇지?__________
3. P : 너는 그것들을 똑바로 하지 못할 게 분명해.__________
4. C : (여섯 개의 크레파스가 들어가는 상자에 아동이 열두 개의 크레파스를 담으려 하고 있다.)
   P : 그 상자에는 전부 다 들어가지 않을 거야.__________
5. P : 애야, 너는 그 크레파스들을 다 상자에 넣을 수 없어.__________
6. P : 이 상자는 이 모든 크레파스를 수용할 수 없어 보인다, 그렇지?__________
7. C : (알파벳을 쓰기 시작한다.)
   P : A자를 쓴 것 같구나.__________
8. P : 멍청아, 네가 지금 쓰고 있는 건 A자야.__________
9. P : 넌 A자를 그것보다는 더 잘 쓸 수 있을 텐데.__________
10. C : 파란색 블록을 주시면 안 될까요?
    P : 초록색은 어떠니?__________
11. C : 파란색 블록을 주시면 안 될까요?
    P : 안 돼. 파란색 블록은 거기 안 어울리는 것 같다.__________, __________
12. C : 파란색 블록을 주시면 안 될까요?
    P : 탑 위에 파란색 블록을 놓고 싶구나.__________
13. C : 파란색 블록을 주시면 안 될까요?
    P : 너도 알다시피, 네가 파란색을 나눠 쓰고 않지 않아. 그렇지?__________
14. C : (블록을 가지고 논다.) 성을 만들고 있어요.
    P : (억양을 올리며) 성을 만드는 거니?__________
15. P : 넌 그렇게 아무렇게나 쌓은 블록 더미를 성이라고 부르는구나.__________
16. P : 성 주변에 연못까지 둘러져 있구나.__________

17. C : 엄마, 1 더하기 1은 뭐예요?
    P : 1 더하기 1은 얼마지?__________
18. P : 왜 멍청하게 구는거니?__________
19. P : 너는 덧셈연습을 좋아한다.__________
20. C : (새로운 군인 장난감을 들어올린다.)
    P : 넌 그 장난감이 싫구나, 그렇지?__________
21. P : 그것은 잘생긴 군인이구나.__________
22. P : 그렇게 잘생긴 군인을 나눠 줘서 고마워.__________
23. P : 넌 그걸 가지고 놀 자격이 없어.__________
24. C : (아빠에게 자기가 만든 통나무 오두막집을 보여 준다.)
    P : 이런 통나무는 만들기가 참 어려워.__________
25. P : 네 오두막집은 어질러졌다.__________
26. P : 네가 통나무 오두막집을 만들었구나.__________
27. C : (장난감 상자에서 인형들을 꺼낸다.)
    P : 네가 그 인형들을 좋아하는 모양이구나.__________
28. P : 네가 그런 시시한 인형들을 또 꺼내고 있구나.__________
29. P : 인형들을 좋아하니?__________
30. P : 남자는 인형을 가지고 놀면 안 되는 거야.__________

(정답)________/30=________%

부정적인 말 구분하기 Ⅱ

다음 퀴즈를 통해 부정적인 말과 그 외 DPICS 카테고리들을 구분하는 연습을 더 많이 하게 될 것이다. 아동의 말 다음에 다양하게 대답하는 부모의 반응을 읽고 그 부모의 반응이 부정적인 말인지 혹은 다른 카테고리인지를 구분하여 빈칸에 넣으시오. (정답은 87쪽을 보시오.)

1. C : (블록으로 만든 집을 넘어뜨린다.)
   P : 어지럽히지 마.__________
2. C : 큰 탑을 쌓을 거야.
   P : 블록이 충분치 않아서 탑을 쌓을 수는 없을 것 같아.__________
3. C : (남자 인형으로 아빠 인형을 때린다.) 난 아빠 싫어.
   P : 그는 아빠를 때리는 나쁜 아이구나.__________
4. C : (장난감 가축 우리를 가지고 놀고 있다.)
   P : 그 우리가 꽤 낡았구나.__________
5. C : 보세요, 엄마, 제가 집을 완성했어요.
   P : 그리 잘하지는 못했구나.__________
6. C : 종이가 끈적거려요.
   P : 윽!!__________
7. C : (퍼즐의 마지막 조각을 찾으며) 조각이 없어요.
   P : 조각이 없어서 네가 화가 났구나.__________
8. C : (벽시계를 본다.)
   P : 여기서 나갈 시간이 거의 다 되었구나.__________
9. C : (수학문제를 풀고 있다.)
   P : 아니야 얘야, 7 더하기 2는 9란다.__________, __________
10. C : (통나무 오두막집을 조립하고 있다.)
    P : 지붕에 잘못된 조각을 사용하는구나.__________
11. C : 난 어떤 것도 제대로 할 수가 없어요.
    P : 넌 오늘 뭐든 제대로 할 수 있는 게 없구나, 그렇지?__________
12. C : 실수를 했어요.
    P : 나도 실수를 했단다.__________

13. C : 탑이 무너지고 있어요.

P : 어, 탑이 무너지고 있네.__________

14. C : 그 거북이는 정말 느려요.

P : 거북이가 느린 게 아니야, 쉬고 있는 것뿐이야.__________, __________

15. C : (사람들을 그리면서) 이 소녀가 말하길 그녀의 엄마가 못생겼대요.

P : 아이들은 부모에 대해서 좋게 말해야지.__________

16. C : (땅에 크레파스를 던지며 웃는다.)

P : 너도 알다시피 그건 웃을 일이 아니야.__________

17. C : 공을 가지고 놀고 싶어요.

P : 아니, 이건 내가 잠시 맡아둘게.__________, __________

18. C : 이것들이 내가 필요한 것들이야?

P : 그래, 너한테 필요한 것들이야.__________, __________

19. C : 저랑 노는 게 좋아요?

P : 아니. (웃는다.)__________

20. C : 내가 바보 같다고 생각해요?

P : 아니야.__________

(정답)________/20=________%

복습 퀴즈 V

이번 복습 퀴즈에서 여러분은 DPICS 가이드라인에 따라 다음 대화를 각각 구분하시오. 코딩이 필요한 각 대화부분에 코딩하시오. (정답은 88쪽을 보시오.)

1. P : 이것들은 저기 놓아야 하는 것들이야.__________
2. P : 여기 또 있다.__________
3. P : 그걸 여기 놓아라.__________
   C : (화내며) 엄마가 해놓은 것을 좀 보세요.
4. P : 그럼 고쳐라.__________
   C : 싫어요.
5. P : 네가 우리 놀이를 망치고 있어.__________
6. C : 여기서 나혼자 놀고 싶어요.
   P : 안 돼, 난 네가 그대로 여기에 있고 나랑 함께 놀기를 원해.
   __________, __________, __________
7. P : 다른 놀이를 하고 싶어.__________
   C : 좋아요.
8. P : 넌 무얼 가지고 놀고 싶니?__________
9. P : 통나무집을 만들면서 놀자.__________
10. P : 잠깐 기다려.__________
11. P : 그 집을 아주 멋지게 그리고 있구나. 이제 굴뚝을 그리고 있네.__________, __________
12. P : 그 나무에는 멋진 잎사귀들이 달려 있구나.__________
13. C : 아빠를 그리고 싶어요?
    P : 아니.__________
14. P : 이제 장난감을 정리할 시간이야, 그렇지?__________
15. P : 우리는 가야 할 시간이야.__________
16. P : 어서 와. (서두르라는 의미)__________
17. P : 오늘 저녁에 맥도널드 가고 싶니?__________
18. C : 내가 치우는 걸 도와주는 건 어때요?
    P : 싫어.__________

19. C : 내가 치우는 걸 도와주는 건 어때요?

    P : 아니지, 너 혼자 치워야 해.__________, __________

20. P : 지금 장난감을 정리해 그리고 가자.__________, __________
21. P : 그걸 장난감 상자에 넣을 수 있겠니?__________
22. P : 잘했어.__________
23. P : 이 장난감들을 정말 정리 잘했구나.__________
24. C : 난 여기가 좋아요, 아빠.

    P : 응, 재미있는 곳이지.__________, __________

25. P : 네가 원하는 어떤 걸 가지고 놀아도 된다.__________
26. C : 그러고 싶지 않아요.

    P : 그러고 싶지 않구나.__________

27. P : 넌 무얼 하기 싫으니.__________
28. P : 이리와 봐 네가 뭐든 골라.__________, __________
29. C : (부모의 손을 뿌리치고 소리치며) 날 그냥 내버려 둬요.

    P : 그만해라.__________

30. C : (통나무집 수납장을 발로 찬다.)

    P : 그만해. (3초) 제발.__________, __________

31. P : 이제 내가 게임을 고를 차례야.__________
32. P : 우리 이걸 가지고 놀자.__________
33. C : (6초) 내가 뭘 그릴지 말해도 돼요.

    P : 아니, 내가 게임을 고를 차례야. 그리고 우리는 내 규칙대로 놀아야 한다.

    __________, __________, __________

34. C : 알았어요, 엄마. (3초) 사랑해요.

    P : 오 나도 사랑한단다, 얘야.__________

35. P : 저기 다른 상자를 건네주겠니?__________
36. C : 손이 안 닿아요.

    P : 알았다.__________

37. P : 네가 예의 바르게 대답하니 좋구나.__________
38. P : 잘했어.__________
39. P : 그 다음은 뭐야?__________
40. P : 네가 파란 블록 위에 빨간 블록을 놓고 있구나.__________

41. P : 이제 탑이 생겼구나.__________
42. P : 초록색 블록을 건네줘, 알겠지?__________
43. P : 소민아.__________
44. P : 당장 그걸 건네줘.__________
45. P : 지시를 잘 따라줘서 고맙다. 잘했어.__________, __________
46. P : 이제 파란 블록 위에 빨간 블록을 놓는구나.__________
47. P : 네가 조심스럽게 만들고 있는 모습이 보기 좋구나. 잘했어.__________, __________
48. P : 건물을 멋지게 만들고 있구나, 그렇지.__________
49. C : 전 자라면 건축가가 되고 싶어요.
    P : 건축가. 넌 크면 건축가가 되고 싶구나.__________, __________
50. P : 함께 만들어도 될까?__________

(정답)________/50=________%

터치 구분하기

다음의 퀴즈를 통해서 터치 카테고리, 즉 긍정적 터치(PRO)와 부정적 터치(NTO)를 구분하는 데 도움을 주고자 한다. 퀴즈를 시작하기 전에 터치에 해당하는 DPICS 코딩 매뉴얼을 읽고 난 후 다음 퀴즈를 풀고 이 카테고리를 이해하고 있는지를 테스트해 보시오. (정답은 89쪽을 보시오.)

1. P : (아동을 안아 준다.)__________
2. P : (아동의 팔을 살짝 잡는다. (3초) 그리고 손등을 찰싹 때린다.)__________, __________
3. P : (아동을 무릎 위에 올려놓고 장난치듯 만진다.)__________
4. P : (장난감 빗으로 아동의 머리카락을 빗겨 준다.)__________
5. P : (아동이 안으면 답례로 안아 준다.)__________
6. P : (무릎에 아동을 올려놓는다. (1초) 볼에 뽀뽀해 준다.)__________
7. P : (바닥에 앉아 아동에게 장난감 자동차를 굴려 보내어 아동의 새끼손가락을 친다. 그리고 웃는다.)
   ____
8. P : (아동의 손을 갑자기 꽉 잡는다.) 그만둬.__________, __________
9. P : 잘했어 소민아. 하이파이브 해. (서로 하이파이브를 한다.)
   __________, __________, __________
10. P : (아동을 간지럽힌다.)__________
    C : 그으으으만 해요.
11. C : 그으으으만 해요.
    P : (아동을 간지럽힌다.)__________
12. P : (아동을 의자에 민다.) 앉아.__________, __________
    C : (앉는다.)
13. P : (아동을 무릎 위에서 안고 있다가, 30초 후 아동을 내려놓는다.)__________
14. P : (세 번 연속으로 아동을 때린다. 찰싹, 찰싹, 찰싹)__________
15. P : (곰인형으로 아동의 볼에 뽀뽀한다.)__________

(정답)________/15=________%

아동 카테고리

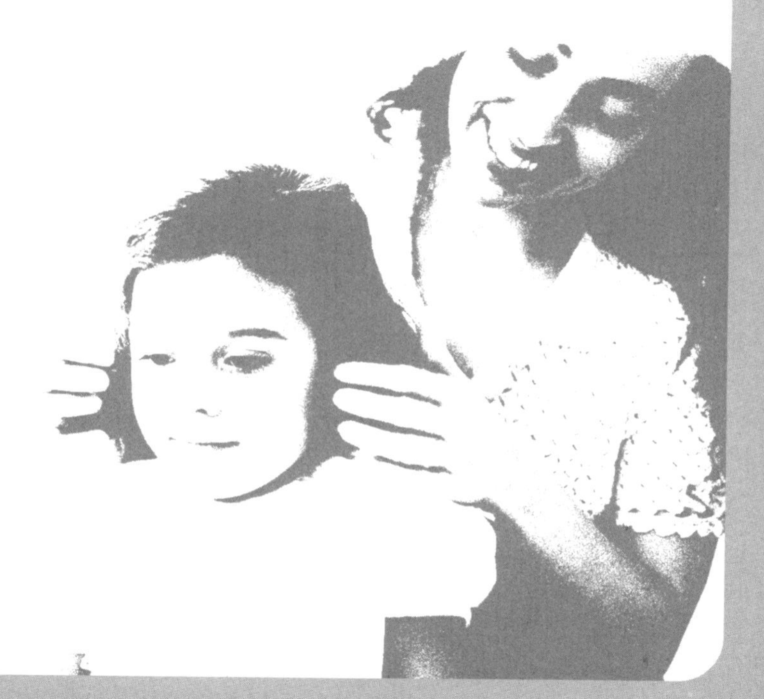

지시에 대한 순종 구분하기 I

다음의 퀴즈를 통해 '지시에 대한 반응 카테고리', 즉 순종(CO), 불순종(NC), 순종기회 상실(NCO)을 구분하는 데 도움을 주고자 한다. 먼저, DPICS 매뉴얼에서 이 카테고리에 대한 설명을 읽으시오. 그런 다음 아래에 있는 각 부모의 대화를 읽고 적당한 코딩을 하시오. 이 퀴즈에서 아동의 말은 코딩하지 마시오. 각 문항 속이나 문항의 끝부분에 각 지시에 대해 아동이 어떤 행동 반응을 보였는지에 대한 정보가 제시되어 있다. 이 정보를 읽고 검토해서 코딩하시오. 처음 세 문항에는 이 퀴즈에 대한 정답을 어떻게 채워 넣는지에 대한 예시로 코딩이 되어 있다. (정답은 90쪽을 보시오.)

1. P : 그것을 밀어 줘. 종이 한 장을 나에게 밀어 줘.__DC/NOC__, __DC/CO__
   C : (3초 후 종이를 부모에게 밀어 준다.)
2. P : 빨간색 크레용 좀 건네줄래?__IC/NC__
   C : 파란색도 원하세요?
3. P : (가리키며) 빨간색.__TA__
   C : (2번 질문 6초 후, 3번 질문 2초 후에 빨간 크레용을 건네준다.)
4. P : 떨어지기 전에 그것을 잡아라.________
   C : (잡으려고 하나 블록은 결국 바닥에 떨어진다.)
5. P : 하얀색 나무 못을 넣은 후 지붕을 얹어라.________, ________
   C : 못을 모은다. 5초 지날 때 지붕을 얹는다.
6. C : (자동차를 그린다.)
   P : 초록색으로 칠하지 그러니?________
   C : 전 초록색을 좋아하지 않아요. 빨간색으로 칠할 거예요. (자동차를 빨간색으로 칠한다.)
7. P : 내말을 들어. 넌 앉아야 해.________, ________
   C : (2초간 의자에 올라 서 있다.)
8. P : 지금 당장 앉아.________
   C : (2초간 서 있는다.)
9. P : 앉으라고 말했지.________
   C : (3초 정도 있다가 아동이 앉는다.)
10. P : 잠시만 기다려 줄래?________
    C : (3초간 아동은 계속해서 위로 아래로 점프한다.)

11. P : 내 옆에 앉아, 알겠지?__________
    C : 알았어요. (5초간 바닥에 있던 장난감을 줍는다.)
12. P : 4 더하기 4를 해 봐.__________
    C : (5초간 손가락으로 헤아리고 있다.)
13. P : 집중해.__________
    C : 9인가요?
14. P : 빨간색을 꺼내.__________
15. P : 다시 생각해 봤는데, 빨간색 대신 파란색을 빼라.__________
    C : (파란색을 뺀다.)
16. P : 원을 그려, 알겠지?__________
    C : 좋아요. (아동이 원을 그린다.)
17. P : (7초 후) 더 크게 그려 봐.__________
    C : (징징댄다.) 하지만 엄마! (5초 지나기 직전에 그리기 시작한다.)
18. P : 이리 와, 서둘러.__________, __________
19. P : 나한테 타원을 그려 줘, 알겠지?__________
    C : (세 살짜리 아동이 하나의 선을 그린다.)
20. P : 그림을 어떻게 그릴 줄 모르는구나.__________
21. P : 원이 어떻게 생겼니?__________

(정답)________/21=________%

지시에 대한 순종 구분하기 Ⅱ

다음의 퀴즈를 통해 부모의 지시에 대한 반응 카테고리(CO, NC, NOC)를 구분하는 데 도움을 주고자 한다. 아래에 있는 부모의 대화를 각각 읽고 적당한 코딩을 하시오. 아동의 말은 코딩하지 마시오. 각 문항 속이나 문항의 끝부분에 각 지시에 대해 아동이 어떤 행동 반응을 보였는지에 대한 정보가 제시되어 있다. 이 정보를 읽고 검토해서 코딩하시오. 처음 세 문항에는 이 퀴즈에 대한 정답을 어떻게 채워 넣는지에 대한 예시로 코딩이 되어 있다. 또한 다른 부모의 대화도 확인하시오(예 : TA, QU). (정답은 90쪽을 보시오.)

1. P : 오렌지색 바퀴를 좀 건네줘. 그래 주겠니? IC/CO

   C : (5초 동안 만들기 장난감 세트 속에서 찾고 있다.)

2. P : 저것이 오렌지색이야. (가리킨다.) TA

   C : (부모에게 오렌지색 바퀴를 건네준다.)

3. P : 바닥에 있는 모든 크레파스를 주워라. 그리고 그것들을 통에 담아라.

   DC/CO , DC/NOC

   C : (5초간 바닥에 흩어져 있는 크레파스를 모은다.)

4. C : 우리 커다란 요새를 만들어요.

   P : (집 짓기 통나무를 집어 든다.) 나는 아래 기초 부분을 만들고 있어.__________

5. P : 나를 위해 반짝반짝 작은 별을 불러 줘.__________

   C : 반짝 반짝 작은 별… (3초간 부르다 멈춘다.)

6. C : (투덜댄다.) 못하겠어요.

   P : 괜찮아, 내가 도와줄게.__________, __________

7. P : 같이 노래를 부르자. 준비됐니?__________, __________

   P&C : 반짝 반짝… (6초간 노래를 한다.)

8. P : 내 옆에 앉아.__________

   C : (6초간 테이블 아래에서 기어다닌다.)

9. P : 그 곳에서 나와라.__________

   C : (2초간 반응이 없다.)

10. P : 이 의자에 앉아.__________

11. P : 민수야.__________

    C : (5초간 테이블 밑에 계속 있는다.)

12. P : 놀기 좋게 그 레고들을 테이블 위에 놓는 것이 어떻겠니?__________

13. P : (3초) 제발 좀.__________

C : (몇 개를 테이블 위에 올려놓는다.)

(정답)________/13=________%

질문에 대한 응답 구분하기 I

다음의 퀴즈를 통해서 부모의 질문에 대한 아동의 반응을 구분하는 데 도움을 주고자 한다. 아동의 반응에는 응답(AN), 무응답(NA), 그리고 응답기회 상실(NOA)이 있다. 먼저, DPICS 매뉴얼에서 이러한 카테고리에 대한 설명을 읽고 나서 코딩하시오. (정답은 91쪽을 보시오.)

1. P : 그 인형 모자는 무슨 색이니?
   C : 파란색이에요.__________, __________
2. P : 지난번부터 그 장난감들은 어디 있지?
   C : 음.__________, __________
3. C : (중얼거린다.)
   P : 응?
   C : 이건 여기 놓아야 한다고 말했어요.__________, __________
4. P : 그 장난감들을 이 상자에 넣고 싶니?
   C : 랄랄랄라.__________, __________
5. P : 이 조각은 어디 놓아야 할까?
   C : 잘 모르겠어요, 엄마.__________, __________
6. P : 이걸 어디 놓아야 할까?
   C : (조각이 알맞게 들어갈 자리를 가리킨다.)__________
7. P : 공주가 왜 지하감옥에 갇혀야 했을까?
   C : 그건 그녀가 콩을 먹지 않고 남겼기 때문이에요.__________, __________
8. P : 네 말의 이름을 뭐라고 지었니?
   C : 절 혼자 내버려 두세요.__________, __________
9. P : 이건 뭐라고 부르지?
   C : 원이요.__________, __________
10. P : 이건 뭐라고 부르지?
    C : (물어보는 억양으로) 원이요?__________, __________
    P : 좋은 시도였는데, 사실 이건 타원이야.
11. P : 이건 어느 정도로 클까?
    C : (얼마나 큰지 보여 주기 위해 팔을 쭉 편다.)__________

12. P : 키가 얼마일까? 소민이는 어느 정도 클까?

    C : (두 번째 질문 후) 매우 커요.__________, __________, __________

13. P : 5 곱하기 7은 몇이지?

    C : (조용히 있다.)__________, __________

14. P : 5 곱하기 7은 몇이지?

    C : 50이요.__________, __________

15. P : 1 더하기 1은 몇이지?

    C : (능글맞게 웃으며) 12요.__________, __________

16. P : 이건 무슨 색일까?

    C : (계속해서 색칠한다.)__________

17. P : 이 블록을 어디에 놓아야 할까? 어디에 놓아야 가장 보기 좋을까? (2초)

    C : (부모가 말한 지 4초 후) 저기요.__________, __________, __________, __________

18. P : 2 더하기 2는 몇일까?

    C : (손가락 네 개를 든다.)__________

19. P : 내가 만든 성은 어떠니?

    C : 못생겼어요.__________, __________

20. P : 고양이의 철자가 어떻게 되지?

    C : C-A-T.__________, __________, __________, __________

(정답)________/20=________%

질문에 대한 응답 구분하기 Ⅱ

다음의 퀴즈를 통해서 부모의 질문에 대한 아동의 반응을 구분하는 데 도움을 주고자 한다. 아동의 반응에는 응답(AN), 무응답(NA), 그리고 응답기회 상실(NOA)이 있다. 먼저, DPICS 매뉴얼에서 이러한 카테고리에 대한 설명을 읽고 나서 코딩하시오. (정답은 91쪽을 보시오.)

1. P : 집을 무슨 색으로 칠해야 할까?
   C : 어차피 못생긴 집이기 때문에 어떤 색으로 칠하든 상관없어요.__________, __________
2. P : 지난번 우리가 가지고 놀던 말이 어디 갔지?
   C : 모르겠어요.__________, __________
3. P : 테이블 밑에서 뭐하는 거니? (2초) 내 말 들었니?
   C : (아무 말도 하지 않는다.)__________
4. P : 네 소 이름을 뭐라고 지었니?
   C : 저를 그냥 내버려 두세요.__________, __________
5. P : 이게 네 말이니?
   C : 아니요. 그건 농부의 말이에요.__________, __________
6. P : 나를 위해 그려달라고 했던 꽃은 어디에 있니?
   C : (종이에 그려진 꽃을 가리킨다.)__________
7. P : 1 더하기 1은 몇일까?
   C : (능글맞게 웃으며) 모르겠어요.__________, __________
   P : 1분 전에는 대답했었잖아.
8. P : 네 차를 어디로 몰고 가고 있니?
   C : 말할 수 없어요. 이건 비밀 임무라서요.__________, __________, __________
   P : (미소 짓는다.)
9. P : 이건 어떻게 하는 거니?
   C : 이렇게 동전을 구멍에 넣는 거예요.__________, __________
10. P : 이게 모든 농장 동물들을 가두는 울타리니?
    C : 네.__________, __________
11. P : 12 곱하기 2는 몇일까?
    C : (물어보는 억양으로) 24요?__________, __________

12. P : 50 곱하기 0은 몇일까?

    C : 50이요.__________, __________

13. P : 네 탑을 얼마나 높게 쌓을 예정이니?

    C : (블록 위로 얼마나 높게 쌓을지 팔을 뻗어 보여 준다.)__________

14. P : (말꼬리를 올리며) 이만큼 높이?

    C : 아니요, 이만큼 높이요.__________, __________, __________

15. P : 그건 뭐라고 부르지?

    C : 원이요.__________, __________

(정답)________/15=________%

복습 퀴즈 Ⅵ

이번 복습 퀴즈에서 여러분은 DPICS 가이드라인에 따라 다음 대화를 각각 구분하시오. 부모의 경우, 올바른 대화 카테고리를 표시하시오. 아동의 경우, 옳은 순종(CO, NC, NOC) 또는 응답(AN, NA, NOA) 카테고리를 표시하시오. (정답은 92쪽을 보시오.)

1. P : 농장 동물들을 줄 세워 줄래?__________
   C : 난 지금 자동차를 가지고 놀고 있어요. (4초 후 동물들을 줄 세운다.)__________
2. P : 초록색을 꺼내서 잔디를 칠해라.__________, __________
   C : (초록색을 꺼내서 초록색으로 잔디를 칠한다.)__________
3. P : 소는 어떻게 울지?__________
   C : 멍멍.__________
4. P : 정말 소가 그렇게 우니?__________
   C : (웃으며) 아니요. 소는 '음메' 하고 울어요.__________
5. P : 레고 상자를 이리로 가져와.__________
   C : 난 지금 색칠 중이에요. (계속해서 색칠한다.)__________
6. P : 조심해. 땅에 떨어지려고 하잖아.__________, __________
7. P : 잘했어. 내가 말한 대로 가져다줘서 고마워.__________, __________
   C : (4초 후 부모 옆에 있는 테이블 위에 상자를 가져다 놓는다.)
8. P : 이제 무엇을 가지고 놀고 싶니?__________
   C : 모르겠어요.__________
9. P : 여기를 봐봐.__________
10. P : (1초) 보이니? (2초) 이 인형이 슈퍼쪽으로 운전하며 가고 있어. 이걸 봐봐.
    __________, __________, __________
11. P : 너하고 뭘 할까?__________
12. P : 이리로 좀 와 봐.__________
    C : (4초 후 부모에게 걸어간다.)__________
13. P : 내가 말한 대로 해 줘서 고맙다.__________
14. C : 제게 블록이 있어요.
    P : 그래, 블록이구나.__________, __________

15. P : 잠깐만. 내가 끝나거든 그 블록을 올려놓았으면 좋겠다. (부모가 계속해서 5초 동안 만들고 있다.)

    ___________, ___________

16. P : 그것들을 거기에 그만 놓아라. 우리가 여기 왔을 때 크레파스는 원래 어디 있었니?

    ___________, ___________

    C : 파란 통에요.___________

17. P : 난 그림을 잘 못 그려.___________

18. P : 잘했어. 철도를 잇고 있구나.___________, ___________

19. P : 테이블에서 발을 내려라. (2초) 그건 좋지 못한 행동이야.___________, ___________

    C : 하지만 집에선 해도 되잖아요. (테이블에서 발을 내린다.)___________

20. P : 함께 동화책을 읽을까?___________

    C : 아니요. 전 책 읽기 싫어요.___________

(정답)_________/20=_________%

질문 이해하기

다음의 문항을 통해서 아동의 질문을 이해하는 데 도움을 주고자 합니다. 먼저, 매뉴얼에서 이 카테고리에 대한 설명을 검토하시오. 그러고 나서 부모의 질문 카테고리(IQ, DQ)와 약간 다른 이 카테고리에 익숙해지도록 다음 문항을 읽고 다음 부분을 계속하시오.

1. C : 오늘 밤에는 내가 영화를 골라도 되나요?
2. C : 쟤는 소민이인가요 아니면 희수인가요?
3. C : 아빠는 지금 어디 있어요?
4. C : 내 탑이 마음에 드세요?
5. C : 얼마나 높게 만들어야 할까요?
6. C : 빨간색 크레파스는 어디에 있어요?
7. C : 이 크레파스를 사용해도 되나요?
8. C : 이 자동차는 어떻게 움직이는 거예요?
9. C : 내 말이 어디에 있지요?
10. C : 블록을 가지고 또 놀고 싶으세요?

지시 이해하기

다음의 문항을 통해서 아동의 지시를 이해하는 데 도움을 주고자 한다. 먼저, 매뉴얼에서 이 카테고리에 대한 설명을 검토하시오. 그러고 나서 부모의 지시 카테고리(DC, IC)와 약간 다른 이 카테고리에 익숙해지도록 다음 문항을 읽고 다음 페이지에 나오는 퀴즈를 계속하시오.

1. C : 탑을 쌓는 것을 도와주실래요?
2. C : 말을 저한테 주세요.
3. C : 조심하세요.
4. C : 엄마, 이리 와 보실래요?
5. C : 저 크레파스를 가져다 주실래요?
6. C : 그것을 여기로 가져오세요.
7. C : 이 울타리를 만드는 것 좀 도와주실래요?
8. C : 이 조각을 잡고 있으세요.
9. C : 울타리를 조심히 다루세요.
10. C : 이제 함께 탑을 쌓도록 해요.

질문과 지시 구분하기

다음 퀴즈는 질문과 지시를 구분하는 데 도움을 줄 것이다. 매뉴얼에서 이 두 카테고리에 대한 설명을 검토하고 다음 퀴즈에 답하시오. (정답은 92쪽을 보시오.)

1. C : 저한테 인형을 좀 건네 주실래요?__________
2. C : 블록을 가지고 놀고 싶으세요?__________
3. C : 우리 같이 탑을 쌓아요. (2초) 같이 탑을 만들어요.__________, __________
4. C : 빨간색 블록은 어때요?__________
5. C : (말꼬리를 올리며) 그것 좀 주세요, 알겠죠?__________
6. C : 저걸 사용해 보는 게 어때요?__________
7. C : 파란색 크레파스 사용하실 건가요?__________
8. C : 도와주실래요?__________
9. C : 이 게임 어떻게 하는 건지 기억하세요?__________
10. C : 여기 좀 앉아 주실래요?__________
11. C : 제가 빨간색 블록을 올려놓아도 되나요?__________
12. C : (말꼬리를 올리며) 엄마?__________
13. C : 자동차를 찾아서 그 안에 조그만 사람을 태워 주실래요?__________, __________
14. C : (테이블 이리저리 공을 굴리고 있다.) 떨어지면 잡아주세요, 알았죠?__________
15. C : 저를 도와주고 싶으세요?__________
16. C : 마지막 조각을 맞춰 주세요, 그럴 거죠?__________
17. C : 만드는 것 도와주고 싶으신가요? (3초) 그 조각 좀 건네주시겠어요?__________, __________
18. C : 그걸 사용하는 걸 좋아하죠, 그렇죠?__________
19. C : 종이들을 정리하는 게 어때요?__________
20. C : 우리가 이 탑을 더 높이 쌓을 수 있을까요?__________

(정답)________/20=________%

부정적인 말과 지시 구분하기

다음 퀴즈는 부정적인 말과 지시를 구분하는 데 도움을 줄 것이다. 매뉴얼에서 이 두 카테고리에 대한 설명을 검토하고 다음 퀴즈에 답하시오. 어떤 문항의 경우는 한 개 이상의 정답이 있을 수 있다. (정답은 93쪽을 보시오.)

1. C : 그만해요.__________
2. C : 팔을 내리세요.__________
3. C : 이제 닥쳐요.__________
4. C : 제발 잠시 조용히 해 주실래요?__________
5. P : 이건 이렇게 해야 하는 것 같아.
   C : 엄마 일이나 신경쓰세요.__________
6. P : (큰 원을 그린다.)
   C : 그만두지 않으면 책상 위에까지 그리겠어요.__________
7. C : 기다려 봐요.__________
8. C : 제 의자에서 다리 내리세요.__________
9. C : (비꼬며) 그거 제대로 놓아야 할 걸요.__________
10. C : 그만 소리 질러요. 그리고 블록 치우는 것 좀 도와주세요.__________, __________
11. P : 이 연필들로 그림 그리기가 매우 어렵구나.
    C : 해 봐요. (2초) 쉽다구요.__________, __________
12. P : 난 축구공을 그리고 있어.
    C : 난 엄마가 농구공을 그렸으면 좋겠어요.__________
13. C : 탑 쌓는 것 도와주세요. 그렇지만 저 블록들은 사용하면 안 돼요.__________, __________
14. C : (부모의 그림을 보며) 이렇게 못생긴 것 말고 다른 그림을 그려 주세요.__________
15. C : 엄마가 그 종이를 다 써버리지 않았으면 좋겠어요.__________
16. P : 이제 정리할 시간이다.
    C : 엄마가 하셔야 해요.__________
17. C : 엄마가 사용할 자동차는 스스로 찾으세요.__________
18. C : 엄마의 바보 같은 탑 좀 치워요. 저 쪽 가서 노세요.__________, __________
19. P : (크게 소리 지른다.)
    C : 좀 조용히 말하세요.__________

20. C : 잔소리 좀 그치면 내가 방을 다 치울게요.__________

(정답)________/20=________%

친사회적인 말 구분하기

다음 퀴즈는 친사회적인 말(PRO)과 다른 아동 언어 카테고리를 구분하는 데 도움을 줄 것이다. 먼저, 매뉴얼에서 친사회적인 말에 대한 설명을 검토하고 나서 다음 퀴즈에 답하시오. 어떤 문항의 경우는 한 개 이상의 정답이 있을 수 있다. (정답은 93쪽을 보시오.)

1. C : 우와 내 자동차 정말 빠르다.__________
2. C : 정말 멋진 그림을 그렸네요.__________
3. C : 노래를 그렇게 못 부르다니, 우습네요.__________
4. C : 도로에서 트럭을 운전하고 있네요.__________
5. C : 제 생각에는 엄마가 자동차를 옮겨야 해요.__________
6. C : 제가 지도에서 플로리다를 찾아 보여 줄 수 있어요.__________
7. C : 이 게임 저번 시간에 했었잖아요. (말꼬리를 올리며) 기억나죠?__________
8. C : 이 인형이 너무 좋아요, 아빠. 이 인형을 가지고 놀아도 될까요?__________, __________
9. P : 내 생각에 농부는 헛간에 있는 것 같구나.
   C : 농부는 헛간에 있어요. (2초) 모든 동물들과 함께 있어요.__________, __________
10. P : (재채기를 한다.)
    C : 축복이 깃들기를.__________
11. P : 내 탑은 최고야.
    C : (비아냥 거리며) 네, 그러시겠죠.__________
12. P : 네, 초록색 크레파스를 사용해도 될까?
    C : 네, 사용해도 좋아요.__________
13. P : 나는 집을 만들거란다.
    C : 비행기를 만들어도 돼요.__________
14. P : 빨간색 매직을 건네다오.
    C : 안 돼요. 제가 쓰고 있어요.__________, __________
15. C : 너무 세게 누르면 장난감이 부서질 거예요.__________
16. P : 난 거인을 만들고 있어.
    C : 거인. (2초) 바보 같아.__________, __________
17. C : 엄마가 그 탑을 쌓는 방식이 마음에 들어요.__________

18. P : 이야기 재미있었니?

    C : 아니요.__________

19. P : 견인차를 운전할 거야.

    C : (억양을 올리며) 견인차?__________

20. P : (두 개의 통나무 조각을 맞추고 있다.)

    C : 그렇게 하는 게 맞아요.__________

(정답)________/20=________%

복습 퀴즈 Ⅶ

다음에 나오는 아동의 말들이 친사회적인 말, 질문, 지시 또는 부정적인 말인지를 확인하시오. 어떤 문항의 경우는 한 개 이상의 정답이 있을 수 있다. (정답은 94쪽을 보시오.)

1. C : 그것을 가지고 놀고 싶어요. 그거 저한테 주실래요?__________, __________
2. C : 이 조각을 원해요 아니면 저 조각을 원해요. (3초) 네? 아빠.__________, __________
3. C : 하지 마세요. 저는 그 빨간색 블록을 여기 놓고 싶어요.__________, __________
4. C : 엄마, 엄마, 엄마.__________
5. C : 그 블록 좀 건네주세요. (2초) 그리고 저것두요.__________, __________
6. P : (나무블록을 쏟는다.)
   C : 잘하셨네요, 아빠.__________
7. C : 어쨌든 저는 나무블록을 싫어해요.__________
8. C : 잠시만 기다려 주실래요?__________
9. C : 아빠(3초) 아빠 제가 저것을 가져도 될까요? (2초) 제발요.__________, __________, __________
10. C : 나무블록을 정리할 시간이에요.__________
11. P : (원을 그린다.)
    C : 저한테 원을 그려 주셨네요. (3초) 정말 이상하게 생긴 원이네요.__________, __________
12. P : 이건 타원이란다.
    C : 아, 타원이구나.__________
13. C : 타원 철자가 어떻게 돼요? (5초) (억양을 올리며) 이렇게?__________, __________
14. C : 보여 주세요.__________
15. C : 고마워요.__________
16. P : 고맙구나.
    C : 천만에요.__________
17. C : 이제 저한테 그 빨간색 크레파스를 건네줄래요? 그리고 종이도 주세요.__________, __________
18. C : 제발 해 줄래요?__________
19. C : 엄마와 같이 노는 게 재미없어요.__________
20. C : 농담이에요, 아빠.__________

(정답)________/20=________%

터치 구분하기

다음 퀴즈를 통해서 긍정적 터치(PTO)와 부정적 터치(NTO)를 구분하는 데 도움을 주고자 한다. 이 퀴즈를 시작하기 전에, DPICS 코딩 매뉴얼에서 터치 부분을 읽으시오. 그러고 나서 다음과 같은 퀴즈를 완성하면서 이 카테고리에 대한 이해 정도를 검토하시오. 어떤 문항은 코딩되지 않아야 합니다('코딩하지 않음'으로 표시하시오). 터치에 대한 해석을 돕기 위해 제시되어 있는 말은 코딩하지 않아야 한다. (정답은 95쪽을 보시오.)

1. C : (아빠를 껴안으려다가 아빠 코에 부딪힌다.)__________
2. C : (부모에게 손시늉으로 키스를 날려 보낸다.)__________
3. C : (부모를 껴안는다.)__________
4. C : (아빠의 다리를 토닥, 토닥 토닥거린다, 3초 멈추다가 토닥, 토닥)__________, __________
5. C : (신체 접촉 없이 위협적인 제스처를 보인다.)__________
6. C : (엄마의 손을 밀쳐서 탑을 넘어뜨리게 만든다.)__________
7. C : (왼손으로는 무릎을 문지르며 오른손으로 부모의 손에 있던 자동차를 빼낸다.)__________
8. C : (아빠의 무릎 안으로 기어가 볼에 키스한다.)__________
9. C : (아빠에게 다가가 하이파이브를 하러 다가간다. 아빠가 하이파이브를 하려고 하자, 아동이 아빠의 이마를 때린다.)__________
10. C : (엄마에게 블록을 던졌지만 빗나간다.)__________
11. C : (엄마에게 블록을 던져 다리를 맞힌다.)__________
12. C : (부모에게 팔을 두르고, 20초간 있다가 팔을 내린다.)__________
13. P : 빨간색 블록을 건네주렴.
    C : (부모의 손에 빨간색 블록을 놓는다.)__________
14. C : (부모가 헛디디는 것을 막기 위해 부모의 팔을 잡아준다.)__________
15. P : 정리할 시간이구나.
    C : (부모의 팔을 당겨 문 쪽으로 끈다.) 나가고 싶어요. (부모의 팔을 놓는다.)__________

(정답)________/15=________%

고함과 징징대기 구분하기

다음 퀴즈는 여러분이 아동의 언어 카테고리 중 징징대기(WH)와 고함(YE)을 구분하는 데 도움을 줄 것입니다. DPICS-III 매뉴얼에서 이 카테고리에 대한 설명을 읽으시오. 그러고 나서 각 문항을 읽고 적절한 음성코드와 언어코드를 결정하시오. 대답은 음성-언어(예 : WH-PRO) 형식으로 되어 있을 수 있다. (정답은 95쪽을 보시오.)

1. C : (소리치며) 고마워요.__________
2. C : (비명을 지른다.) 아 예에에에!__________
3. C : (칭얼거리며) 그건 공평하지 않아요.__________
4. C : (오두막을 폭발시키는 척하면서 소리친다) 쾅.__________
5. C : (매우 큰 소리로 울먹거리며) 제발 테이블 저쪽으로 가세요. 절 혼자 있게 해 주세요.
 __________, __________
6. C : [블록을 가지고 놀다가, 알아들을 수 없는 소리를 지른다. (3초) 알아들을 수 없는 소리를 지른다. (1초) 그리고 큰 소리로 운다.] 이 블록들은 너무 커요.__________, __________
7. C : (아동이 큰 소리로 웃으며 말한다.) 그건 정말 멍청한 짓이에요.__________
8. C : (징징대는 것 같기도 하고 소리 지르는 것 같기도 한 알아들을 수 없는 소음을 낸다.)__________
9. C : (코맹맹이 소리로 울며 나무블록을 테이블 끝으로 밀어낸다.) 난 이 블록들이 싫어요.
 ____
10. C : (매우 큰 소리로) 제 차에 연료가 필요해요.__________
11. C : (분명치 않고 높은 음조로) 제가 정리하는 걸 도와주세요.__________
12. C : (중간 내지 큰 목소리 톤으로) 이봐요, 이제 그걸 돌려받을 수 있어요?__________
13. C : (자신에게 조용하게 투덜거린다.) 정리하는 거 정말 싫어.__________
14. C : (큰 소리를 내면서 엄마에게 하이파이브를 한다.) 고마워요, 엄마.__________
15. C : (날카로운 소리로) 아야.__________

(정답)________/15=________%

전사 I

(정답은 96쪽을 보시오.)

엄마가 블록 상자에서 블록을 쏟아내며 말한다. “나는 탑을 쌓고 싶어.” (1)__________ 소민이가 말한다. “나도 탑을 쌓고 싶어요.” (2)__________ 엄마가 말한다. “좋아.” (3)__________ 그리고 세 개의 블록을 쌓아 올린다. (4)__________ 소민이가 (칭얼대며) 말한다. “엄마는 공평하지 않아요.” (5)__________ 엄마가 예쁜 빨간 블록을 다 차지하고 있잖아요.” (6)__________ 엄마가 말한다. “그만 좀 징징거려.” (7)__________ 모든 블록은 다 예뻐. (8)__________ 파란색 블록을 이용해서 네 탑을 쌓아. (9)__________ 소민이는 토라지며 돌아선다. (10)__________ 엄마는 아동을 무시하고 계속해서 빨간색 탑을 쌓고 있다. (11)__________ 그러자 소민이가 빨간 탑을 치며 빈정거리듯이 “이크.” (12)__________ 엄마가 말한다. “너는 예의 바르게 행동해야 해.” (13)__________ 왜 이렇게 말썽쟁이처럼 행동하니? (14)__________ “당장 이 블록들을 주워.” (15)__________ 소민이는 울면서 그 블록들을 줍고 있다. (16)__________ 소민이는 21초 동안 계속해서 운다. (17)__________ 계속해서 블록들을 집어서 테이블 위에 놓는다. 블록을 모두 테이블 위에 올려놓았을 때 엄마가 말한다. “블록들을 집어 줘서 고맙다.” (18)__________ 소민이가 말한다. “천만에요.” (19)__________ “제가 블록으로 쌓아도 될까요?” (20)__________ 엄마가 말한다. “네가 나한테 정중하게 부탁했기 때문에 그래도 좋아.” (21)__________ 소민이가 빨간 탑을 쌓기 시작한다. (22)__________ 엄마가 말한다. ‘네 탑은 매우 높은 탑이 되겠구나.” (23)_____ 소민이가 말한다. “그래요.” (24)__________ 엄마가 말한다. “네 탑 위에 내가 블록을 좀 놓아도 되니?” (25)__________ 소민이가 말한다. “제가 혼자 만들고 싶어요.” (26)__________ “엄마는 파란 탑을 만드세요.” (27)__________ 엄마가 말한다. “파란 탑을 만들라니 아주 좋은 생각이야.” (28)__________ 엄마가 네 개의 블록으로 파란 탑을 쌓고 노란색 블록 하나를 놓는다. 소민이가 크게 비명을 지르며 “그것은 파란 블록이 아니에요.” (29)__________ 엄마가 말한다. “더 이상 파란 블록이 없어, 거기 파란 블록 있니?” (30)__________ 소민이가 비명을 치며 “저는 노란 블록을 안 좋아해요.” (31)__________ 엄마가 말한다. “내가 주차요금기계에 돈을 넣고 왔는지 모르겠다.” (32)__________ 소민이가 대답한다. “엄마가 돈 냈을 거예요.” (33)__________ 소민이가 초록색 탑을 쌓기 시작하자 엄마가 말한다. “그거 멋지다.” (34)__________ 소민이가 장난감 상자에 달려가서 도깨비 상자를 가져온다. 엄마가 말한다. “그것은 도깨비 상자네.” (35)__________ 소민이가 말한다. “도깨비 상자가 뭐예요?” (36)__________ 엄마가 말한다. “학교에도 이런 게 있지 않니?” (37)__________ 소민이가 아무 말을 하지 않는다. (38)__________ 핸들을 돌리기 시작한다. (39)__________ 엄마가 말한다. “음악소리가 난다.” (40)__________ 소민이가 계속 핸들을 돌리면 상자가 열린다. 소민이가 웃자 엄마도 웃으면서 말한다. “상자를 닫고 싶니? 그리고 그것을 다시 하고 싶니?” (41)__________ 엄마가 그 상자를 닫고 말한다. “핸들을 돌려.” (42)__________ 소민이가 핸들을 돌리고 말한다. “정말 음악소리가 나요.” (43)__________ 이것이 팍 열릴까요? (44)__________ 엄마가 말한다. “그래, 계속 돌리고 있으면 열릴 거야?” (45)__________ 갑자기 그것이 열리자 소민이와 엄마가 웃는다. 엄마가 말한다. “이제 집에 갈 시간이다.” (46)__________ “장난감을 치울래?” (47)__________ 소민이가 도깨비 상자를 닫고 핸들을 돌리기 시작한다. 엄마가 즉시 (5초 미만) 말한다. “내말 들었니?” (48)__________ 소민이가 (6초 동안) 계속해서 핸들을 돌리고 있다. 그리고 상자가 열린다. 소민이가 웃는다. 엄마가 눈살을 찌푸린다. (49)__________ 소민이는 애기 같은 높은 톤의 콧소리를 내면서 말한다. “저는 집에 가고 싶지 않아요.” (50)__________ 엄마가 말한다. “배고프지 않니?” (51)__________ 소민이가 말한다. “맥도널드에 가요.” (52)__________ 엄마가 말한다. “그거 좋은 생각이다.” (53)__________ 상자 속에 블록을 넣어.” (54)__________ 소민이는 블록 상자 속에 블록은 넣으면서 말한다. “감자튀김을 먹어도 돼요?” (55)__________ 엄마가 말한다. “상황을 보자.” (56)__________ “도깨비 상자를 닫아 줄래?” (57)__________ 소민이가 도깨비 상자를 닫는다. 그리고 핸들을 돌리기 시작한다. 엄마가 말한다. “그만해.” (58)__________ 소민이가 핸들 돌리기를 멈추고 말한다. “저 감자튀김이 먹고 싶어요.” (59)__________ 엄마가 말한다. “네가 감자튀김 먹고 싶어 하는 거 알아.” (60)__________ 코트를 입어, 알겠니?” (61)__________ 소민이는 가려고 코트를 입는다.

전사 Ⅱ

(정답은 97쪽을 보시오.)

아빠와 재홍이는 자동차를 장난감 상자에서 꺼내서 테이블 위에 정렬하며 아빠가 말한다. “자동차가 정말 많다. (1)__________ 나는 초록색 차를 찾았다.” (2)__________ 재홍이가 말한다 “저도 초록색 차를 찾았어요. (3)__________ 이 자동차에는 줄무늬가 있어요.” (4)__________ 아빠가 말한다. “그것은 경주용 차 같다, 그렇지? (5)__________ 그 차는 틀림없이 아주 빠르게 달릴 거야.” (6)__________ 재홍이가 말한다. “마리오 안드레티의 차처럼.” (7)__________ 재홍이는 그 자동차를 테이블 가로질러 운전한다. (8)__________ 아빠가 재홍이의 차 뒤쪽으로 파란 차를 끈다. 재홍이 말한다. “내 자동차가 더 빨라요. (9)__________ 나는 빨간 차도 사용할 건데, 괜찮지요?” (10)__________ 아빠가 말한다. “바퀴가 세 개 달린 저 차 말이지?” (11)__________ 재홍이 말한다. “네 (12)__________ 그거 멋져요.” (13)__________ 아빠가 말한다. “그것은 경주용 차로는 별로 좋지가 않아” (14)__________ 재홍이 소리친다. “그렇지 않다구요.” (15)__________ 아빠가 말한다. “알았어.” (16)__________ 재홍이 말한다. “우리 경주해요.” (17)__________ 아빠가 말한다. “그거 좋은 생각이다.” (18)__________ 아빠와 재홍은 다시 자동차 경주를 한다, 재홍이 말한다. “보세요, 멍청하게. (19)__________ (무례하게) 그게 좋은 차라고 제가 말했었잖아요.” (20)__________ 아빠가 재홍의 팔을 꽉 잡고, (21)__________ 말한다. “다시는 나한테 그런 식으로 말 하지 말거라.” (22)__________ 재홍이 말한다. “저를 내버려 두세요.” (23)__________ 그리고 아빠를 두 번 (1초 간격으로) 발로 찬다. (24)__________ 아빠가 말한다. “지금 사과해.” (25)__________ 재홍이 말한다. “싫어요.” (26)__________ 아빠가 말한다. “사과해, 재홍아.” (27)__________ (6초간 침묵이 흐른다.) “재홍아.” (28)__________ 재홍이 말한다. “죄송해요.” (29)__________ 아빠가 말한다. “사과를 해 줘서 고맙다.” (30)__________ “아이들은 부모에게 그런 식으로 말해선 안 돼.” (31)__________ “알겠니?” (32)__________ 재홍이 말한다. “막대 쌓기 놀이해요.” (33)__________ 아빠가 말한다. “알겠냐고.” (34)__________ 재홍이 말한다. “알겠어요.” (35)__________ 저는 막대 쌓기 놀이를 하고 싶어요, 괜찮죠?” (36)__________ 아빠가 말한다. “나는 네가 알겠다니 기쁘다. (37)__________ 왜 나한테 그런 식으로 말 하면 안 되는지 얘기해 봐.” (38)__________ 재홍이 말한다. “아빠나 말해 봐요.” (39)__________ 아빠가 말한다. “너 오늘 하루 종일 못되게 굴었어. (40)__________ 우리가 막대 쌓기 놀이를 한다면 말 좀 듣겠니?” (41)__________ 재홍이 말한다. “저는 다리를 만들고 싶어요.” (42)__________ 아빠가 말한다. “다리는 만들기가 너무 어렵지 않니?” (43)__________ 재홍은 블록막대를 모으기 시작하면서, (44)__________ 말한다. “저쪽에 있는 빨간 막대를 저한테 주세요.” (45)__________ 아빠가 빨간 막대를 건네주면서 재홍이가 다리 만드는 것을 보고 있다. 만들어졌을 때 아빠가 그것을 보고 웃으며 (46)__________ 말한다. “그 다리 별로다.” (47)__________ 자동차가 그 다리 위로 가면 쓰러질 것 같아.” (48)__________ 아빠가 다리 꼭대기로 자주색 자동차를 놓는다. 재홍이 말한다. “그것은 멋진 다리예요. (49)__________ 어떤 차는 다리 밑으로도 갈 수 있어요.” (50)__________ 재홍은 다리 밑으로 오렌지색 자동차를 굴리고 아빠는 그 뒤로 검은색 차를 운전하며 말한다. “내가 너를 따라잡고 있어.” (51)__________ 재홍이 말한다. “아빠는 조심해야 해요. (52)__________ 운전자는 제한속도 내로 가야 해요.” (53)__________ 아빠가 말한다. “재홍아, 나는 네가 법에 대해 알고 있어서 기쁘다.” (54)__________ 내가 이 게임을 하려면 조심해야 할 거야 그렇지 않니?” (55)__________ 재홍이 말한다. “아빠는 꼭 조심해야 해요.” (56)__________ 자동차를 다리의 반대쪽에서 운전하고 가면서 아빠는 검정 차로 아들의 차를 따라가기 시작하다가 실수로 다리를 무너뜨린다. (57)__________ 재홍이 소리친다. “아빠는 멍청해요. (58)__________ 모든 게 망가졌잖아요.” (59)__________ 아빠도 소리친다. “그런 식으로 말하는 것에 대해 내가 뭐라고 말했었니?” (60)__________ 재홍은 바닥에 쓰러져 울기 시작한다. (61)__________ 그 회기는 재홍이 토라지면서 끝난다.

정답

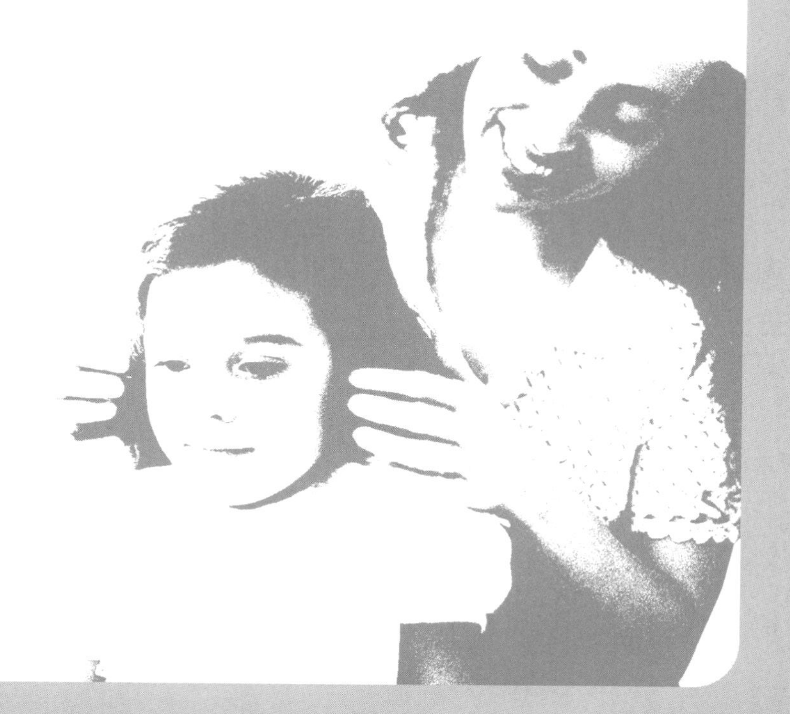

부모 카테고리

문장 이해하기

1.	TA	Guideline TA 1b
2.	BD	Guideline BD 5
3.	현재	Guideline TA 4, BD 5
4.	TA	Guideline TA 6b
5.	TA	Guideline TA 7b
6.	어떤 말	Guideline TA 8
7.	칭찬/비판	Guideline TA 9, BD general definition
8.	TA	Guideline TA 9c
9.	BD	Guideline BD 7
10.	TA	TA Decision Rule 2

행동묘사와 일상적 말 구분

1.	TA	Guideline TA 1b
2.	TA	Guideline TA 1c
3.	TA	Guideline TA 4
4.	BD	Guideline BD 7
5.	TA	Guideline TA 3
6.	TA	Guideline TA 4
7.	TA, BD	Guideline TA 1b, BD 3
8.	BD, TA	Guideline BD 3, TA 2
9.	BD	Guideline BD 1
10.	BD	Guideline BD 5
11.	BD, BD	Guideline BD 9b
12.	TA	Guideline TA 3
13.	TA	Guideline TA 1b
14.	BD, BD, TA	Guideline BD 1, 9b, TA 1b, 11a, 11b
15.	TA	Guideline TA 1b
16.	TA	Guideline TA 1d
17.	TA	Guideline TA 1a
18.	TA	Guideline TA 1a
19.	BD	Guideline BD 7
20.	TA, TA, TA	Guideline TA 11a

질문 구분하기 I

1.	IQ	Guideline IQ 1a, 2a
2.	DQ	Guideline DQ 2
3.	IQ	Guideline IQ 1a
4.	DQ	Guideline DQ 4a
5.	IQ	Guideline IQ 1a
6.	DQ	Guideline DQ 5
7.	DQ	Guideline DQ 3a
8.	DQ	Guideline DQ 2
9.	DQ	Guideline DQ 9
10.	IQ	Guideline IQ 1a
11.	IQ	Guideline IQ 1a, DQ 8
12.	DQ	Guideline DQ 3a
13.	DQ	Guideline DQ 1, 2a
14.	IQ, IQ	Guideline IQ 1a, 5, 6
15.	DQ	Guideline DQ 3a, 4a
16.	IQ	Guideline IQ 1a, 2a
17.	DQ	Guideline DQ 9
18.	DQ	Guideline DQ 3a, 4a
19.	DQ	Guideline DQ 3a, 4a
20.	IQ	Guideline IQ 1a, 2a

질문 구분하기 II

1.	DQ	Guideline DQ 3a, 4a
2.	IQ	Guideline IQ 1a, 2a
3.	DQ	Guideline DQ 2, 11
4.	IQ	Guideline IQ 1a, 2a
5.	DQ	Guideline DQ 3a, 4a
6.	DQ	Guideline DQ 2, 11
7.	DQ	Guideline DQ 3a, 4a
8.	IQ	Guideline IQ 1a, 2a
9.	IQ	Guideline IQ 1a, DQ 8
10.	DQ	Guideline DQ 6
11.	IQ	Guideline IQ 1a, 2a
12.	DQ	Guideline DQ 3a, 4a
13.	IQ	Guideline IQ 6
14.	IQ	Guideline IQ 1a, 2a

15.	DQ	Guideline DQ 3a, 4a
16.	DQ	Guideline DQ 3a, 4a
17.	IQ	Guideline IQ 1a, 2a
18.	IQ, IQ	Guideline IQ 1a, 5
19.	DQ	Guideline IQ 2
20.	DQ	Guideline DQ 3a, 4a
21.	IQ	Guideline IQ 1a, 2a
22.	DQ	Guideline DQ 9
23.	DQ	Guideline DQ 3a, 4a
24.	IQ	Guideline IQ 1a, 2a
25.	DQ	Guideline DQ 1

복습 퀴즈 I

1.	BD	Guideline BD 1, 3
2.	IQ	Guideline IQ 1a, 2a
3.	DQ	Guideline DQ 1
4.	DQ	Guideline DQ 2, 11
5.	TA	Guideline TA 1b
6.	BD, BD	Guideline BD 7, 9a
7.	IQ	Guideline IQ 1a, 2a
8.	TA	Guideline TA 1a
9.	TA	Guideline TA 1c
10.	TA	Guideline TA 1b
11.	BD	Guideline BD 1, 5
12.	DQ	Guideline DQ 3a, 4a
13.	IQ	Guideline IQ 1a, 2a
14.	DQ	Guideline DQ 9
15.	TA	Guideline TA 1a
16.	BD, TA, TA	Guideline BD 1, 3, TA 1b
17.	IQ, DQ	Guideline IQ 1a, 2a, DQ 1
18.	DQ	Guideline DQ 9
19.	IQ	Guideline IQ 1a, 2a
20.	BD	Guideline BD 1, 3

칭찬 이해하기(UP와 LP)

1. a. **네가 만든 블록 집은 정말 멋지구나.** Guideline LP 5b
   b. **네가 만든 건물은 정말 멋지다.** Guideline LP 5b

2.	a.	조용히 앉아 있다니 너는 정말 착한 아이로구나.	Guideline LP 7
	b.	나는 네가 조용히 앉아 기다려줘서 기뻐.	Guideline LP 4
3.	a.	네가 그린 색깔이 정말 멋지다.	Guideline LP 5a
	b.	그 빨간 농장이 정말 멋져 보인다.	Guideline LP 5b
4.	a.	이 블록을 나한테 건네줘서 고마워.	Guideline LP 4
	b.	내가 만드는 것을 도와주다니 참 착하구나.	Guideline LP 8
5.	a.	철자를 잘 아는구나.	Guideline LP 5a
	b.	철자를 정확하게 알고 있네.	Guideline LP 5c
6.	a.	이 상자로 나를 돕다니 정말 친절하구나.	Guideline LP 3
	b.	상자 치우는 것을 도와줘서 고마워.	Guideline LP 4
7.	a.	"고맙습니다."라고 말하다니 너는 정말 예의가 바르구나.	Guideline LP 5a
	b.	내가 너한테 트럭을 주자 "고맙습니다."라고 말하다니 너는 정말 예의가 바르구나.	Guideline LP 5a
8.	a.	나한테 귀걸이를 주워 주다니 너는 정말 마음이 친절하구나.	Guideline LP 6a
	b.	나를 위해 그것을 주워 주다니 너는 정말 마음이 친절하구나.	Guideline LP 5a
9.	a.	그것은 정말 멋진 그림이구나, 그렇지?	Guideline LP 11
	b.	그 그림은 정말 멋진 그림이지 않니?	Guideline LP 11
10.	a.	나한테 멋진 카드를 써 주다니 너는 정말 천사로구나.	Guideline LP 3
	b.	나를 위해 이것을 만들어 주다니 너는 천사구나	Guideline LP 3

칭찬 구분하기 I (UP 대 LP)

1.	UP	Guideline UP 2a, 3
2.	UP	Guideline UP 2a
3.	LP	Guideline LP 4
4.	LP	Guideline LP 2a
5.	UP	Guideline UP 2a
6.	LP	Guideline LP 4
7.	UP	Guideline UP 2a
8.	BD, UP	Guideline BD 9,UP 2a
9.	UP	Guideline UP 2a
10.	UP	Guideline UP 4
11.	UP	Guideline UP 1
12.	LP	Guideline LP 5c
13.	BD	Guideline BD 3
14.	UP	Guideline UP 2a
15.	UP	Guideline UP 2a
16.	UP	Guideline UP 4
17.	LP	Guideline LP 1, 2a
18.	LP	Guideline LP 1, 2a

19.	UP, LP, UP	Guideline UP 2a, 9, LP 2a, 5a
20.	UP	Guideline UP 2a
21.	BD	Guideline BD 5
22.	UP, BD	Guideline UP 2a, 9, BD 2, 3

칭찬 구분하기 Ⅱ(UP 대 LP)

1.	UP	Guideline UP 1, 3
2.	UP BD	Guideline UP 1, 9, BD 3
3.	LP	Guideline LP 1, 6
4.	UP, TA	Guideline UP 3, 9, TA 1b
5.	BD, UP	Guideline BD 5, UP 3
6.	UP	Guideline UP 2a
7.	BD, LP	Guideline BD 5, LP 4, 5a
8.	UP, LP	Guideline UP 3, LP 4, 5a
9.	TA, LP	Guideline TA 14, LP 2a, 6
10.	UP, UP, LP, UP	Guideline UP 1, 9, LP 2a

칭찬 구분하기 Ⅲ(UP 대 LP)

1.	LP	Guideline LP 5a
2.	UP	Guideline UP 4
3.	BD	Guideline BD 1, 5
4.	LP	Guideline LP 2a
5.	UP	Guideline UP 2a
6.	TA	Guideline TA 1b, 4, LP 2b
7.	LP	Guideline LP 4, 5a
8.	UP	Guideline UP 4
9.	TA	Guideline TA 4, BD 3
10.	UP	Guideline UP 2a
11.	LP	Guideline LP 2a, 5a, 6
12.	LP	Guideline LP 2a, 5a, 6
13.	BD	Guideline BD 3
14.	TA	Guideline TA 1b, 9c
15.	TA	Guideline TA 1a, 9c
16.	UP	Guideline UP 2a
17.	UP	Guideline UP 3
18.	LP	Guideline LP 5c
19.	UP, BD	Guideline UP 3, BD 1, 5

20.	LP	Guideline LP 2a
21.	BD	Guideline BD 3, LP 2b
22.	BD	Guideline BD 3, LP 2b
23.	TA	Guideline TA 1b, 9c, LP 2b
24.	TA	Guideline TA 1b, LP 2b
25.	LP	Guideline LP 5b

칭찬 구분하기 Ⅳ(UP 대 LP)

1.	UP	Guideline UP 1, 2a
2.	UP, UP	Guideline UP 3, 4
3.	LP	Guideline LP 4, 5a
4.	UP, BD	Guideline UP 3, BD 5
5.	UP	Guideline UP 12
6.	BD, UP	Guideline BD 3, UP 2a
7.	UP, BD	Guideline UP 6, BD 5
8.	LP	Guideline LP 2a
9.	TA	Guideline TA 1b, LP 2b
10.	LP, UP	Guideline LP 1, 4, 7, BD 2a
11.	UP	Guideline UP 2a
12.	UP, UP	Guideline UP 1, 2a, 12
13.	LP	Guideline LP 4, 5a
14.	UP	Guideline UP 3
15.	LP	Guideline LP 5a
16.	BD	Guideline BD 3
17.	LP, LP	Guideline LP 9
18.	UP	Guideline UP 13
19.	LP	Guideline LP 4, 5a
20.	TA	Guideline TA 1c

구체적이지 않은 칭찬과 일상적인 말 구분하기

1.	TA	Guideline TA 14
2.	UP	Guideline UP 1
3.	UP	Guideline UP 1
4.	TA	Guideline TA 14
5.	UP	Guideline UP 4
6.	TA	Guideline TA 14
7.	UP	Guideline UP 1

8.	TA, UP	Guideline TA 9c, TA 1
9.	UP	Guideline UP 2a
10.	UP	Guideline UP 4
11.	UP, LP	Guideline UP 4, LP 5a
12.	TA	Guideline TA 16
13.	TA	Guideline TA 15
14.	UP	Guideline UP 2a
15.	TA	Guideline TA 17
16.	UP	Guideline UP 2a
17.	UP	Guideline UP 2a
18.	UP	Guideline UP 12
19.	TA	Guideline TA 2
20.	UP, UP	Guideline UP 6,16

복습 퀴즈 Ⅱ

1.	DQ	Guideline DQ 3a,4
2.	LP	Guideline LP 5b
3.	UP	Guideline UP 4
4.	BD	Guideline BD 3
5.	LP	Guideline LP 4
6.	TA	Guideline TA 1b,2
7.	TA	Guideline TA 2
8.	TA	Guideline TA 1a
9.	LP, UP, UP	Guideline LP 5b, UP 2a,3
10.	BD	Guideline BD 3
11.	UP, UP, BD, LP	Guideline UP 1,2a BD 3, LP 4
12.	DQ	Guideline DQ 1
13.	BD, UP, UP, TA	Guideline BD 3,8; UP 2a,1,7; TA 1d
14.	IQ	Guideline IQ 1a, 2a
15.	UP, TA	Guideline UP 1; TA 1b
16.	BD	Guideline BD 3,8
17.	UP, LP, TA	Guideline UP 1,2a; LP 5c; TA 1b
18.	DQ	Guideline DQ 1
19.	BD	Guideline BD 3,5 8
20.	LP, UP, BD, UP	Guideline LP 4, UP 2a, BD 3

행동묘사, 반영, 일상적인 말 구분하기 Ⅰ

1.	RF	Guideline 2
2.	UP, RF	Guideline UP 1,9; RF 2,8
3.	TA, RF	Guideline TA 14; RF 2,8
4.	RF	Guideline RF 3a
5.	TA, TA	Guideline TA 1b; RF 3b
6.	RF	Guideline RF 4
7.	RF	Guideline RF 2
8.	TA	Guideline RF 2; TA 1d
9.	RF	Guideline RF 4
10.	RF	Guideline RF 4
11.	RF, BD	Guideline RF 10; BD 1,3a
12.	LP	Guideline LP 5b
13.	TA	Guideline TA 1a; RF 3a
14.	RF	Guideline RF 3a,4
15.	TA	Guideline TA 1b,21; RF 3b

행동묘사, 반영, 일상적인 말 구분하기 Ⅱ

1.	RF	Guideline RF 2,4
2.	BD	Guideline BD 5
3.	TA, RF	Guideline TA 4,15; RF 2
4.	RF	Guideline RF 3a, 5
5.	RF	Guideline RF 5; Two-Second Rule; Priority Order
6.	TA	Guideline TA 1b; RF 15
7.	RF, TA, BD	Guideline RF 2, 10; TA 1b; BD 3
8.	RF	Guideline RF 5
9.	NTA	Guideline NTA 4; RF 19
10.	RF	Guideline RF 4
11.	RF	Priority Order, Table 15
12.	RF	Guideline RF 13a, 8
13.	TA, TA	Guideline TA 5; RF 15
14.	TA	Guideline TA 1d; RF 3a,3b

행동묘사, 반영, 일상적인 말 구분하기 Ⅲ

1.	BD	Guideline BD 1,3
2.	TA, RF	Guideline Basic Coding Rule Yes/No; RF 2
3.	BD	Guideline BD 1,3

4.	TA	Guideline TA 1a
5.	TA	Guideline TA 1b
6.	RF	Guideline RF 2,3a
7.	RF, TA	Guideline RF 1; TA 1b
8.	TA	Guideline TA 2; RF 3b
9.	BD	Guideline BD 1
10.	RF	Guideline RF 3,11
11.	TA	Guideline TA 1c; RF 5
12.	TA, TA	Guideline TA 6b,1b; RF 15
13.	RF	Guideline RF 5
14.	TA, BD	Guideline TA 5c, RF 5, BD 1,3
15.	TA	Guideline TA 1b, RF 3b
16.	RF	Guideline RF 4
17.	TA, BD	Guideline TA 1d; BD 3,1
18.	TA	Guideline TA 1b; UP 2b
19.	TA	Guideline TA 14; RF 17
20.	RF	Guideline RF 2,4

복습 퀴즈 Ⅲ

1.	RF, TA	Guideline RF 2,10; TA 1b
2.	TA, RF	Guideline TA 9a; RF 2,8
3.	UP, RF	Guideline UP 2a; RF 3a,8
4.	RF	Guideline RF 4
5.	IQ	Guideline IQ 1; RF 14
6.	UP	Guideline UP 2a
7.	RF	Guideline RF 5
8.	RF	Guideline RF 5
9.	RF	Guideline RF 1
10.	TA	Guideline TA 1b; RF 2
11.	DQ	Guideline DQ 1,3
12.	TA	Guideline TA 1b
13.	RF, BD	Guideline RF 2,3a,10; BD 1
14.	UP	Guideline UP 3
15.	TA	Guideline TA 1c; RF 5
16.	BD	Guideline BD 7
17.	TA, UP	Guideline TA 9a, UP 2a,10; RF 6
18.	UP, LP	Guideline UP 2a,10; RF 6; LP 1
19.	RF	Guideline RF 5

20. TA Guideline TA 1d

지시 이해하기(IC와 DC)

1. 나한테 파란 색 크레용을 줘. Guideline DC 1
2. 내 옆에 앉아. Guideline DC 1
3. 트럭을 차고에 넣어. Guideline DC 4
4. 내가 말하고 있을 때 집중을 해. Guideline DC 6
5. 소민아, 나한테 인형을 가져와. Guideline DC 1
6. 나한테 장난감 군인을 건네줘. Guideline DC 6
7. 조립식 장난감으로 뭔가를 만들어 봐. Guideline DC 1
8. 계속 앉아 있어. Guideline DC 6
9. 얌전히 좀 앉아 있어. Guideline DC 1
10. 나에게 집을 그려 줘. Guideline DC 6
11. 지금 책상에서 내려와. Guideline DC 6
12. 크레용 좀 집어 줘. Guideline DC 1, 4
13. 지금 검정 조각을 놔. Guideline DC 4
14. 저 펜을 엄마한테 줘. Guideline DC 1
15. 그 블록들을 나한테 좀 나눠 줘. Guideline DC 1
16. 나한테 그 망치 좀 줘. Guideline DC 1

지시 구분하기 I (IC 대 DC)

1. DC Guideline DC 3
2. IC Guideline IC 1
3. IC, IC Guideline IC 3
4. DC, DC Guideline DC 3
5. DC Guideline DC 3
6. IC Guideline IC 2
7. DC, DC Guideline DC 3
8. DC Guideline DC 11
9. IC Guideline IC 6
10. DC Guideline DC 12
11. IC Guideline IC 1,2
12. DC Guideline DC 3
13. DC, DC Guideline DC 3; Basic Coding Rules 2-secs
14. DC Guideline DC 3
15. IC Guideline IC 3
16. DC Guideline DC 6

17.	DC	Guideline DC 3
18.	DC	Guideline DC 3
19.	IC	Guideline IC 1,2
20.	IC, IC	Guideline IC 19

지시 구분하기 Ⅱ(IC 대 DC)

1.	DC	Guideline DC 3
2.	IC	Guideline IC 1
3.	IC	Guideline IC 20a
4.	DC	Guideline DC 3
5.	IC	Guideline IC 11
6.	DC	Guideline DC 3,6
7.	IC/NOC, DC	Guideline IC 15; DC 3
8.	DQ	Guideline DQ 4 IC 2
9.	IC	Guideline IC 6
10.	IC, IC	Guideline IC 2,15
11.	IC	Guideline IC 12
12.	IC	Guideline IC 11
13.	DC	Guideline DC 3
14.	DC	Guideline DC 3
15.	DQ	Guideline DQ 1,4a
16.	DC	Guideline DC 3,6
17.	IC	Guideline IC 6
18.	DC	Guideline DC 13
19.	DC	Guideline DC 11
20.	DC	Guideline DC 3

간접지시와 질문 구분하기(IC 대 QU)

1.	IQ	Guideline IQ 1
2.	IC	Guideline IQ 12
3.	IQ	Guideline IQ 1
4.	IC	Guideline IC 2,10
5.	IC	Guideline IC 1
6.	IQ	Guideline IQ 1
7.	IC	Guideline IC 12
8.	IC	Guideline IC 2,10
9.	DQ	Guideline DQ 2,3a,9

10.	IC	Guideline IC 6
11.	IQ	Guideline IQ 1a,2a
12.	IC	Guideline IC 2,15
13.	IC	Guideline IC 2
14.	DQ	Guideline DQ 3a
15.	IC, NOC	Guideline IC 2,3 NOC 4
16.	IC, DQ	Guideline IC 10; Basic Coding Rule 2 secs; DQ 3a
17.	DQ	Guideline DQ 9
18.	IC	Guideline IC 6,12
19.	DQ	Guideline DQ 3a
20.	IC	Guideline IC 10

복습 퀴즈 Ⅳ

1.	DQ	Guideline DQ 3a
2.	DC	Guideline DC 3
3.	IC	Guideline IC 11
4.	DC	Guideline DC 1
5.	TA	Guideline TA 7a; IC 4
6.	DC	Guideline DC 3
7.	DC	Guideline DC 3
8.	TA	Guideline TA 1d; DC 5
9.	BD	Guideline BD 5
10.	IQ	Guideline IQ 1
11.	DC	Guideline DC 3
12.	TA	Guideline TA 1b
13.	TA	Guideline TA 3
14.	IQ	Guideline IQ 1
15.	DQ, DQ	Guideline DQ 3a,9,11
16.	TA, TA	Guideline TA 1b; IC 4
17.	DQ	Guideline DQ 1
18.	IC	Guideline IC 2
19.	IQ	Guideline IQ 1
20.	IC	Guideline IC 12
21.	IC	Guideline IC 10
22.	TA, IC	Guideline TA 1c; IC 8b
23.	TA	Guideline TA 1b
24.	DQ	Guideline DQ 3a
25.	IC	Guideline IC 1

부정적인 말과 직접지시 구분하기(NTA 대 DC)

1.	NTA	Guideline NTA 10
2.	DC	Guideline DC 3
3.	DC, DC	Guideline DC 3
4.	NTA	Guideline NTA 5
5.	DC	Guideline DC 3
6.	NTA	Guideline NTA 4
7.	NTA	Guideline NTA 5,10
8.	NTA	Guideline NTA 10
9.	DC	Guideline DC 3
10.	NTA	Guideline NTA 5,10
11.	DC	Guideline DC 3
12.	DC	Guideline DC 3
13.	NTA	Guideline NTA 12
14.	NTA	Guideline NTA 1
15.	NTA	Guideline NTA 5,10
16.	NTA	Guideline NTA 4
17.	NTA	Guideline NTA 4
18.	NTA	Guideline NTA 20
19.	DC	Guideline DC 3
20.	NTA	Guideline NTA 5

부정적인 말 구분하기 I

1.	BD	Guideline BD 3,5
2.	DQ	Guideline DQ 2
3.	NTA	Guideline NTA 20
4.	TA	Guideline TA 1b
5.	NTA	Guideline NTA 5,11
6.	DQ	Guideline DQ 2
7.	BD	Guideline BD 3,5
8.	NTA	Guideline NTA 21
9.	NTA	Guideline NTA 2
10.	DQ	Guideline DQ 3a
11.	NTA, TA	Guideline NTA 3; TA 1b
12.	TA	Guideline TA 1c
13.	NTA	Guideline NTA 2
14.	DQ	Guideline DQ 1; RF 18

15.	NTA	Guideline NTA 4,20
16.	TA	Guideline TA 1b
17.	IQ	Guideline IQ 2; RF14
18.	NTA	Guideline NTA 18a,21
19.	TA	Guideline TA 1c
20.	DQ	Guideline DQ 2
21.	TA	Guideline TA 1b
22.	LP	Guideline LP 4
23.	NTA	Guideline NTA 1
24.	TA	Guideline TA 1b
25.	NTA	Guideline NTA 2,20
26.	BD	Guideline BD 3,5
27.	TA	Guideline TA 1c
28.	NTA	Guideline NTA 1
29.	DQ	Guideline DQ 3a
30.	NTA	Guideline NTA 4,21

부정적인 말 구분하기 Ⅱ

1.	NTA	Guideline NTA 10
2.	TA	Guideline NTA 9
3.	TA	Guideline TA 1b, 9c
4.	TA	Guideline TA 1b, 9c
5.	NTA	Guideline NTA 1
6.	TA	Guideline TA 9c
7.	TA	Guideline TA 1c
8.	TA	Guideline TA 1d
9.	NTA, TA	Guideline NTA 5,6b; TA 1d
10.	NTA	Guideline NTA 1
11.	NTA	Guideline NTA 1
12.	TA	Guideline TA 1a; RF 3a
13.	RF	Guideline RF 2
14.	NTA, TA	Guideline NTA 6a; TA 1b
15.	TA	Guideline TA 7a
16.	NTA	Guideline NTA 1
17.	TA, TA	Guideline TA 1a,20a; NTA 9
18.	TA, TA	Guideline TA 6b,1b
19.	NTA	Guideline NTA 7
20.	TA	Guideline TA 20b; NTA 6c

복습 퀴즈 V

1.	TA	Guideline TA 1b
2.	TA	Guideline TA 1b
3.	DC	Guideline DC 3
4.	DC	Guideline DC 3
5.	NTA	Guideline NTA 1
6.	NTA, IC, IC	Guideline NTA 9; IC 9,17,19
7.	TA	Guideline TA 1c
8.	IQ	Guideline IQ 1a
9.	IC	Guideline IC 6
10.	DC	Guideline DC 9
11.	LP, BD	Guideline LP 1,5a; BD 3
12.	TA	Guideline TA 1b; LP 16
13.	TA	Guideline TA 20a
14.	DQ	Guideline DQ 2 IC 4
15.	IC	Guideline IC 6
16.	DC	Guideline DC 3, 9
17.	DQ	Guideline DQ 3a
18.	NTA	Guideline NTA 24; TA 20c
19.	TA, DC	Guideline 4, 4
20.	DC, IC	Guideline DC 3IC, 6
21.	IC	Guideline IC 12
22.	UP	Guideline UP 1, 3
23.	LP	Guideline LP 1, 5a
24.	TA, TA	Guideline 4, 1b
25.	IC	Guideline IC 6
26.	RF	Guideline RF 5
27.	IQ	Guideline IQ 1a
28.	DC, DC	Guideline DC 5, 6
29.	NTA	Guideline NTA 20
30.	NTA, IC	Guideline NTA 10; IC 15
31.	TA	Guideline TA 1a
32.	IC	Guideline IC 6
33.	TA, TA, IC	Guideline TA 1a,20a; IC 6
34.	UP	Guideline UP 1
35.	IC	Guideline IC 12
36.	TA	Guideline TA 14
37.	LP	Guideline LP 1, 5a

38. UP — Guideline UP 1,3
39. IQ — Guideline IQ 1
40. BD — Guideline BD 3
41. TA — Guideline TA 1b
42. IC — Guideline IC 1
43. IC — Guideline IC 15
44. DC — Guideline DC 3
45. LP, UP — Guideline LP 4; UP 2,9
46. BD — Guideline BD 3
47. LP, UP — Guideline LP 4; UP 2,9
48. LP — Guideline LP 5a, 11
49. RF, TA — Guideline RF 2,10; TA 1c
50. DQ — Guideline DQ 3a

터치 구분하기

1. PTO — Guideline PTO 1
2. NTO, NTO — Guideline NTO 4, 3
3. PTO — Guideline PTO 2,1
4. PTO — Guideline PTO 3
5. PTO — Guideline PTO 5
6. PTO — Guideline PTO 1
7. NTO — Guideline NTO 3
8. NTO, NTA — Guideline NTO 8, 1
9. UP, DC/CO, PTO — Guideline UP 3; DC 3; PTO 3,5,10
10. PTO — Guideline PTO 2
11. NTO — Guideline NTO 2
12. NTO, DC/CO — Guideline NTO 3,8; DC 3
13. PTO — Guideline PTO 6
14. NTO — Guideline NTO 5
15. PTO — Guideline PTO 4

아동 카테고리

지시에 대한 순종 구분하기 I

1.	DC/NOC, DC/CO	Guideline Gen CO 2, CO 1, DC 2
2.	IC/NC	Guideline IC 2; NC 4
3.	TA	Guideline TA 1b
4.	DC/CO	Guideline DC 2; CO 2
5.	DC/CO, DC/CO	Guideline DC 2; CO 5
6.	IC/NC	Guideline IC 2; NC 5,2
7.	DC/NOC, DC/NOC	Guideline DC 2; Gen CO 2
8.	DC/NOC	Guideline DC 2
9.	DC/CO	Guideline DC 2; CO 1
10.	IC/NOC	Guideline IC 2; NOC 4
11.	IC/NC	Guideline IC 1; NC 4
12.	DC/CO	Guideline DC 2; CO 2
13.	DC/NOC	Guideline DC 2; NOC 4
14.	DC/NOC	Guideline DC 2, Gen CO 4
15.	DC/CO	Guideline DC 2; CO 1
16.	IC/CO	Guideline IC 1; CO 1
17.	DC/CO	Guideline DC 2; CO 4
18.	DC/NOC, DC/NOC	Guideline DC 2; NOC 4
19.	IC/NOC	Guideline IC 1; Gen CO 5
20.	NTA	Guideline NTA; 20
21.	IQ	Guideline IQ 2a

지시에 대한 순종 구분하기 II

1.	IC/CO	Guideline IC 1, CO 2
2.	TA	Guideline TA 1b
3.	DC/CO, DC/NOC	Guideline DC 2, CO 2, Gen CO 3b
4.	TA	Guideline TA 1a
5.	DC/NC	Guideline DC 2, NC 3
6.	TA, TA	Guideline TA 1d, 1a
7.	IC/CO, QU	Guideline IC 6, CO 1, DQ 3a
8.	DC/NC	Guideline DC 2, NC 1
9.	DC/NOC	Guideline DC 2, Gen CO 2
10.	DC/NC	Guideline DC 2, NC 1
11.	IC/NOC	Guideline IC 15

12.	IC/CO	Guideline IC 2; CO 1
13.	IC/NOC	Guideline IC 15

질문에 대한 응답 구분하기 I

1.	AN, PRO	Guideline AN 1, PRO 2e, 29
2.	NOA, PRO	Guideline NOA 2b, PRO 3
3.	AN, PRO	Guideline AN 1; PRO 2e
4.	NA, PT	Guideline NA 2; PT 5 (If Coding Complimental)
5.	AN, PRO	Guideline AN 2c; PRO 2c, 29
6.	AN	Guideline AN 4
7.	AN, PRO	Guideline AN 3.; PRO 2b, 29
8.	NA, NTA	Guideline NA 2; NTA 22
9.	AN, PRO	Guideline AN 1; PRO2b, 29
10.	AN, QU	Guideline AN 1; QU 1
11.	AN	Guideline AN 4
12.	NOA, AN, PRO	Guideline NOA 3, AN 3, PRO 2b, 29
13.	NOA, NOA	Guideline NOA 2b
14.	AN, PRO	Guideline AN 1, PRO 2e, 29
15.	NA, NTA	Guideline NA 2; NTA 2
16.	NA	Guideline 1
17.	NOA, NOA, AN, PRO	Guideline NOA 3a; AN 6; PRO 2e, 29
18.	AN	Guideline AN 4
19.	AN, NTA	Guideline AN 1; NTA 1
20.	AN, PRO, PRO, PRO	Guideline AN 1, PRO 29

질문에 대한 응답 구분하기 II

1.	NA, NTA	Guideline NA 2, NTA 1
2.	AN, PRO	Guideline AN 2; PRO 2c, 29
3.	NOA	Guideline NOA 1
4.	NA, NTA	Guideline NA 2, NTA 22
5.	PRO, PRO	Guideline PRO 2b, 19a
6.	AN	Guideline AN 4
7.	NA, NTA	Guideline NA 2, NTA 21
8.	NA, PRO, PRO	Guideline NA 2, PRO 2b
9.	AN, PRO	Guideline AN 1, PRO 2b
10.	AN, PRO	Guideline AN 1, PRO 4
11.	AN, QU	Guideline AN 1, QU 1

12. NOA, PRO — Guideline NOA 2b, PRO 2c, 29
13. AN — Guideline AN 4
14. 코딩하지 않음, PRO, PRO — Guideline PRO 2b, 19a
15. AN, PRO — Guideline AN 1; PRO 2c, 29

복습 퀴즈 Ⅵ

1. IC/CO — Guideline IC 2; CO 4
2. DC/CO, DC/CO — Guideline DC 1; CO 1
3. IQ/NA — Guideline IQ 1a; Gen An 2
4. DQ, 코딩하지 않음 — Guideline DQ 3a; Gen Def for Resp to Ques
5. DC/NC — Guideline DC 3; NC 2
6. DC/NOC, TA — Guideline DC 3; NOC 4; TA 1b
7. UP, LP — Guideline UP 1; LP 4
8. IQ/AN — Guideline IQ 1a; AN 1; Gen An 3
9. DC/NOC — Guideline DC 3; NOC1/1b, 3
10. DQ, TA, DC/NOC — Guideline 1, 2a, 5/3
11. IQ/NOA — Guideline IQ 1a; Gen An 9
12. DC/CO — Guideline DC 3; CO 1
13. LP — Guideline LP 4
14. TA, RF — Guideline Basic Coding Rule Yes & No; RF 2
15. DC/NOC, IC/NOC — Guideline DC 3; NOC 4; IC 9; NOC $1\frac{1}{2}$
16. NTA, IQ/AN — Guideline NTA 8; IQ 1a; AN 1
17. TA — Guideline TA 1a
18. UP, BD — Guideline UP 1; BD 3
19. DC/CO, NTA — Guideline DC 3; NTA 1; CO 4
20. DQ, 코딩하지 않음 — Guideline DQ 3a; Gen Def for Resp to Ques

질문과 지시 구분하기

1. CM — Guideline 25
2. QU — Guideline 5
3. CM, CM — Guideline CM 4, 1 Basic Coding Rule 2-secs
4. QU — Guideline QU 1
5. CM — Guideline CM 1
6. CM — Guideline CM 1
7. QU — Guideline QU 4
8. CM — Guideline CM 25
9. QU — Guideline QU 5

10.	CM	Guideline CM 5
11.	QU	Guideline QU 4
12.	CM	Guideline CM 27
13.	CM, CM	Guideline CM 1, 12
14.	CM	Guideline CM 5
15.	QU	Guideline QU 5
16.	CM	Guideline CM 2
17.	QU, CM	Guideline QU 5 Basic Coding Rule 2-secs CM 1
18.	QU	Guideline QU 2
19.	CM	Guideline CM 1
20.	CM	Guideline CM 5

부정적인 말과 지시 구분하기

1.	NTA	Guideline NTA 2
2.	CM	Guideline CM 2
3.	NTA	Guideline NTA 6
4.	CM	Guideline CM 1
5.	NTA	Guideline NTA 22
6.	NTA	Guideline NTA 19a
7.	CM	Guideline CM 2
8.	CM	Guideline CM 2
9.	NTA	Guideline NTA 21
10.	NTA, CM	Guideline NTA 10, CM 2
11.	CM, NTA	Guideline CM 7; NTA 7,4
12.	CM	Guideline CM 1
13.	CM, NTA	Guideline CM 1; NTA 10
14.	NTA	Guideline NTA 17b
15.	NTA	Guideline NTA 1
16.	NTA	Guideline NTA 25
17.	CM	Guideline CM 5
18.	NTA, CM	Guideline NTA 17b; CM 1
19.	NTA	Guideline NTA 17c
20.	NTA	Guideline NTA 19c

친사회적인 말 구분하기

1.	PRO	Guideline PRO 2a
2.	PRO	Guideline PRO 9a,12

3.	NTA	Guideline NTA 1; PRO 17
4.	PRO	Guideline PRO 2d
5.	CM	Guideline CM 6
6.	PRO	Guideline PRO 2c
7.	QU	Guideline QU 2
8.	PRO, QU	Guideline PRO 2c; QU 4
9.	PRO, PRO	Guideline PRO 2b
10.	PRO	Guideline PRO 6
11.	NTA	Guideline NTA 21
12.	PRO	Guideline PRO 23
13.	CM	Guideline CM 24; PRO 23
14.	NTA, PRO	Guideline NTA 26; PRO 2a
15.	PRO	Guideline PRO 30a
16.	PRO, NTA	Guideline PRO 31; NTA 1
17.	PRO	Guideline PRO 2c
18.	PRO	Guideline PRO 19a
19.	QU	Guideline QU 1
20.	PRO	Guideline PRO 2e

복습 퀴즈 Ⅶ

1.	PRO, CM	Guideline PRO 2c; CM 25
2.	QU, QU	Guideline QU 5,7
3.	NTA, PRO	Guideline NTA 11; PRO 2c
4.	CM	Guideline CM 26
5.	CM, PRO	Guideline CM 25; Basic Coding Rule 2-sec; PRO 3
6.	NTA	Guideline NTA 21
7.	PRO	Guideline PRO 2c
8.	CM	Guideline CM 26
9.	CM, PRO, CM	Guideline CM 273, 2, 2
10.	PRO	Guideline PRO 1e; CM 4
11.	PRO, NTA	Guideline PRO 1d; NTA 1
12.	PRO	Guideline PRO 31
13.	QU, QU	Guideline QU 4,1
14.	CM	Guideline CM 2,3
15.	PRO	Guideline PRO 5
16.	PRO	Guideline PRO 6
17.	CM, CM	Guideline CM 25, 12
18.	CM	Guideline CM 25

19.	NTA	Guideline NTA 1
20.	PRO	Guideline PRO 2a

터치 구분하기

1.	코딩하지 않음	Guideline NTO 1
2.	코딩하지 않음	Guideline PTO 4
3.	PTO	Guideline PTO 3
4.	PTO, PTO	Guideline PTO 3, 8
5.	코딩하지 않음	Guideline NTO 5
6.	NTO	Guideline NTO 2
7.	코딩하지 않음	Guideline NTO 1
8.	PTO	Guideline PTO 7
9.	NTO	Guideline NTO 3
10.	코딩하지 않음	Guideline NTO 3
11.	NTO	Guideline NTO 3
12.	PTO	Guideline PTO 6
13.	코딩하지 않음	Guideline PTO 1
14.	PTO	Guideline PTO 2
15.	NTO	Guideline NTO 2

고함과 징징대기 구분하기

1.	YE-PRO	Guideline YE 1,3; PRO 6
2.	YE	Guideline 2
3.	WH-PRO	Guideline WH 1; PRO 2e
4.	YE	Guideline YE 2
5.	YE-CM, YE-CM	Guideline YE 1; CM 3,12
6.	YE, YE-PRO	Guideline YE 2,4,1; Pro 20
7.	NTA	Guideline NTA 4
8.	YE	Guideline YE 6
9.	WH-PRO	Guideline WH 1,7; PRO 2c
10.	YE-PRO	Guideline YE 1,3; PRO 2c
11.	WH-CM	Guideline WH 1; CM 23
12.	QU	Guideline QU 4
13.	WH-PRO	Guideline WH 1; PRO 2c
14.	YE-PRO	Guideline YE 1,3; PRO 6
15.	YE-PRO	Guideline YE 2

전사 I

1.	TA	Guideline TA 1c
2.	PRO	Guideline PRO 2a
3.	UP	Guideline UP 3
4.	**코딩하지 않음**	Guideline PT 4
5.	WH, NTA	Guideline WH 1; NTA 1
6.	WH, PRO	Guideline WH 1; PRO 2d
7.	NTA	Guideline NTA 10
8.	TA	Guideline TA 1b
9.	DC	Guideline DC 3
10.	NC	Guideline NC 1
11.	**코딩하지 않음**	Guideline PT 4
12.	NTA	Guideline NTA 21
13.	DC, NOC	Guideline DC 3, NOC 4
14.	NTA	Guideline NTA 1
15.	DC	Guideline DC 2,3
16.	CO	Guideline CO 4
17.	WH	Guideline WH 4
18.	LP	Guideline LP 4
19.	PRO	Guideline PRO 6
20.	QU, AN	Guideline QU 4, AN 1
21.	LP	Guideline LP 5
22.	**코딩하지 않음**	Guideline PT 4
23.	TA	Guideline TA 1b
24.	PRO	Guideline PRO 6
25.	DQ	Guideline DQ 3a
26.	PRO	Guideline PRO 2c
27.	CM, CO	Guideline CM 3; CO 1
28.	LP	Guideline LP 2a
29.	YE, NTA	Guideline YE 3; NTA 4
30.	DQ	Guideline DQ 2
31.	YE, PRO	Guideline YE 3; PRO 2c
32.	TA	Guideline TA 1c
33.	PRO	Guideline PRO 2c
34.	UP	Guideline UP 1
35.	TA	Guideline TA 1b
36.	QU, NA	Guideline QU 3; NA 2
37.	DQ	Guideline DQ 3a

38.	코딩하지 않음	
39.	코딩하지 않음	Guideline PT 4
40.	TA	Guideline PT 4
41.	DQ, DQ	Guideline DQ 1,9
42.	DC, CO	Guideline DC 3; CO 1
43.	PRO	Guideline PRO 2b
44.	QU	Guideline 3
45.	TA, TA	Guideline TA 14,1d
46.	TA	Guideline TA 1d
47.	IC, NC	Guideline IC 2, NC 3
48.	DQ	Guideline DQ 3
49.	코딩하지 않음	
50.	WH, PRO	Guideline WH 3, PRO 2c
51.	DQ	Guideline DQ 3a
52.	CM, NOC	Guideline CM 25
53.	UP	Guideline UP 2a
54.	DC, CO	Guideline DC 3; CM 1
55.	QU	Guideline 4
56.	IC, NOC	Guideline IC 4, 2
57.	IC, CO	Guideline IC 1 3, 1
58.	NTA	Guideline NTA 10
59.	PRO	Guideline PRO 2c
60.	RF	Guideline RF 2
61.	IC, CO	Guideline IC 1, CO 1

전사 Ⅱ

1.	TA	Guideline TA 1c,1b
2.	TA	Guideline TA 1a
3.	PRO	Guideline PRO 2a
4.	PRO	Guideline PRO 2b
5.	DQ	Guideline DQ 2
6.	TA	Guideline TA 1b
7.	PRO	Guideline PRO 2b
8.	코딩하지 않음	
9.	PRO	Guideline PRO 2b
10.	QU	Guideline QU 2
11.	DQ	Guideline DQ 1
12.	PRO	Guideline PRO 4

13.	PRO	Guideline PRO 2b
14.	NTA	Guideline NTA 1
15.	YE, NTA	Guideline YE 1,3; NTA 7a
16.	TA	Guideline TA 14
17.	CM, CO	Guideline CM 4; CO 1
18.	UP	Guideline UP 7
19.	NTA	Guideline NTA 1
20.	NTA	Guideline NTA 21
21.	NTO	Guideline NTO 3
22.	NTA	Guideline NTA 10
23.	CM	Guideline CM 3; NTA 10
24.	NTO	Guideline NTO 7
25.	DC, NC	Guideline DC 3; NC 2
26.	NTA	Guideline NTA 26
27.	DC, NC	Guideline DC 3; NC 2
28.	IC, NOC	Guideline IC 15; NOC 5
39.	PRO	Guideline PRO 6
30.	LP	Guideline LP 4
31.	NTA	Guideline NTA 16
32.	DQ	Guideline DQ 3a
33.	CM, NC	Guideline CM 25
34.	DQ	Guideline DQ 3a
35.	PRO	Guideline PRO 2c
36.	QU	Guideline QU 2
37.	UP	Guideline UP 1
38.	DC, NC	Guideline DC 2,3; NC 1
49.	NTA	Guideline NTA 25
40.	NTA	Guideline NTA 1
41.	IC, NOC	Guideline IC 20a, NOC 4
42.	PRO	Guideline PRO 2c
43.	DQ	Guideline DQ 1
44.	코딩하지 않음	
45.	CM, CO	Guideline CM 2, CO 1
46.	코딩하지 않음	
47.	NTA	Guideline NTA 1
48.	TA	Guideline TA 1c
59.	PRO	Guideline PRO 2b
50.	PRO	Guideline PRO 2b

51.	TA	Guideline TA 1a
52.	CM, NOC	Guideline CM 5; NOC 4
53.	PRO	Guideline PRO 28a
54.	LP	Guideline LP 4
55.	DQ	Guideline DQ 2
56.	CM, NOC	Guideline CM 5; NOC 3
57.	코딩하지 않음	
58.	YE, NTA	Guideline YE 1, NTA 1
69.	YE, NTA	Guideline YE 1; NTA 1
60.	YE, NTA	Guideline WH 1; NTA 1
61.	WH	Guideline WH 1